세월호로 출가했습니다

세월호로 출가했습니다

전연순

책을 펴내며

출가 사흘 전, 이틀만 봉사하고 출가하겠다는 발걸음은 헤량할 수조차 없는 팽목항 곡소리에 깨우침이 번개처럼 일어나 생사가 분명한 팽목항에서 '세월호로 출가' 라는 결단을 했다. 세월호 침몰, 304명 사망은 내 인생의 또 다른 충격이었던 것이다.

봉사라는 것은 멀리서 들려오는 메아리에 귀 기울이는 것이 아니다. 현장에서 피해자의 눈물을 들을 줄 알아야 하고 목소리를 볼 줄 알아야 한다. 특히 일반 봉사현장과 달리 재난현장의 봉사는 그들의 밑바닥까지 담을 수 없으면 어떤 이해와 소통도 할 수 없다는 사실을 깊이 유념해 매순간 신중해야 하고 중도적 결단도 필수적이다. 아무리 애를 쓰고 진심을 다해도 셀 수 없는 벽과 바닥을 마주해야 하는 재난현장에서 가장 중심에 두고 몰입했던 것은 어느 한쪽에 치우치지 않고 정성을 다해 기도하고 묵묵히 진실한 마음으로 행하는 것이었다. 그리고 중도적 가치를 위해서는 고통스런 결단과 설득의 과정도 필요했다.

사실 미수습자가족들이 평생 세월호 앞에서 피해자로만이 아닌 인간 본연의 삶을 살 수 있는 대의명분과 우리 사회 구성원으로서 다시 일어설 수 있도록 보호하고 나아가기 위한 뼈아픔이 있었다. 공식적으로는 3년 7개월, 그렇지만 목포 신항 현장이 철수된 후에도 지속적인 봉사와 대변인 역할은 끝도 없이 이어져 몇 번 죽음의 문턱까지 갈 정도로 혹독한 시련과 통증들이 있었다. 세월호 침몰 10주기를 앞두고 그 어떤 말로도 형용할 수 없는 수많은 생각과 감정들 속에 10년 동안 묻어둔 이야기들을 꺼내 공유하고 소통하고 싶은 생각이 들었다.

국가와 정부는 세월호 침몰 초기대응에 완전 실패했다. 자본과 권력이 맞물려 책임자 처벌은 물론 진실규명을 제대로 하지 않는 상황으로 인해 재난현장의 피해자들은 또다시 2차, 3차 재난의 참상에 얼마나 위험한 상황인지 봉사현장에서 보고 들었다.

이 글은 세월호 재난현장에서 최장 기간 밀착해 봉사한 경험을 바탕에 두고 언론에서 다루지 못한 현장의 이야기들을 있는 그대로 살펴보고자 했다. 피해자가족과 정부 사이에서 구체적이고 희망적인 언어를 실천하는데 중점을 둔 걸음들에는 대변인의 중도적 가치의 중심이 있었음을 밝힌다.

지금도 어디선가 봉사활동을 하거나 아님 봉사예정자 분들 및 그와 관련된 사회적 기관과 학교에서도 한 번쯤 살펴보면 좋을 듯싶다. 특히 재난현장에서 봉사자의 자세와 태도에 대해 상세하고 실질적인 대응 매뉴얼을 완성했으면 하는 마음 간절했음을 전하고 싶다. 가난한 춤꾼이 생업까지 포기하고 재난현장 봉사자로 뛰어들어 빚을 지고 몸을 상하면서까지 책임져야만 했던 고독하고 외로운 기록이다. 그럼에도, 나의 지난 봉사에 관심이 있는 분이 계시거나 아님 봉사현장에 계신 분에게 조금이라도 등대가 되고 위안이 되길 바란다. 또한 우리 사회에 반복되는 재난현장의 애도와 추모의 태도 및 자세를 다시 한번 살펴보는 초석이 되길 바란다.

2024년 4월 16일 세월호 10주기에
전연순

차례

제1부

새벽 3시에 왜, 달려갔는가

그날, 침몰

　　새벽 3시에 눈을 떴다. 고작 3시간 정도 잠들었던 것 같은데 정신은 맑고 초롱초롱했다. 서둘러 잠자리를 털고 일어났지만 무겁게 끌리는 물바람이 출렁거려 짓눌린 창호지 문틈만큼의 숨구멍만 날숨에 갇혔다. 셀 수 없는 생각들이 바람으로 휙휙 지나가고 뇌의 파장은 먼별에서 왔다 가는 한 점이었다. 우선 깨끗하게 씻기로 했다. 그런 자리는 내 몸을 깨끗이 하고 가는 것이 최소한의 예의라고 생각했다. 그리고 냉수 한 모금도 넘기지 못하고 입만 적신 채 배낭 메고 급히 길을 나섰다.

　　분명, 전원 구조했다고 했는데, 어떻게 이런 일이 있을 수 있을까? 한두 명도 아니고 수백 명이? 어떻게? 어디서부터 잘못된 것일까? 언제부터 그런 조짐이 시작되었을까? 또 그런 짓을 한 사람들은 누구일까? 좀처럼 잠조차 들 수 없는 시간들이었다.

온몸이 후들후들 떨렸다.

며칠 후 나는 이 세상 사람이긴 하지만 삶의 방향이 180도 달라진 상황에서 살아갈 것을 계획하고 있었기 때문에 1시간 1분이 남다르고 부족해 애가 탔다.

나는 출가를 사흘 앞둔 상황이었다. 그럼에도 그곳을 다녀오지 않은 상태에서 출가한다는 것은 먼 훗날 큰 아픔이 될 것 같다는 생각을 뿌리치지 못했다. 나는 이틀만이라도 그들과 함께 아픔을 나누고 싶은 심정에 여명이 오지 않은 새벽, 차가운 자동차에 시동을 걸고 예열하는 동안 양 손을 가슴에 모아 비벼주었다. 베토벤의 운명이 흘러나올 때처럼 장엄하고 웅장한 엔진 소리가 불을 뿜어내듯 달아올랐다. 온몸이 화끈거렸다. 서서히 엔진 기어를 드라이브로 옮겼다. 명줄 부여잡듯 꽉 누른 브레이크에서 오른발 끝을 떼니 알 수 없는 미래의 중심으로 이동하는 기분이었다.

얼마나 달렸을까? 대전 유성 나들목으로 진입한 이전부터 시작된 눈물은 그칠 줄 모르고 쏟아졌다. 장대비 쏟아지듯 그칠 줄 모르는 눈물에 불쑥 30년 전 엄마가 돌아가셨을 때가 떠올랐다.

큰아들이 초등학교 입학한 지 얼마 안 되고, 작은아들은 갓 돌 지난 시점이었다. 엄마가 위독하다는 말을 듣고 부모님 집으로 달려갔더니 형제자매들이 모여 거실에 앉아 있었다. 나는 부모님 집 현관을 들어서면서 루틴처럼 했던 것을 그대로 했다.

가족들과 간단한 인사를 마치고 엄마 방에 들어가 엄마를 껴안은 후 따뜻한 물과 수건 두 장을 준비했다. 세숫대야에 수건을 푹 담갔다가 온기가 전해지도록 꾹 짜지 않고 두 발을 먼저 감싸주었다. 남은 수건 한 장은 다시 세숫대야에 담가놓고 10초쯤 지나 살짝 짜서 어린아이 달래듯 접은 수건으로 엄마의 닳은 세월을 닦아주었다.

순간, 엄마가 전에 하셨던 말씀이 떠올랐다. "우리 막내딸 연순이는 내가 죽어갈 때도 씻겨줄 거야." 갑자기 온몸에 소름이 돋았다. 엄마는 분명 눈을 뜨고 계셨지만 눈가엔 힘이 없고, 부대껴서인지 금방 눈꺼풀이 저물어갔다. 엄마의 굵은 주름엔 생존의 치열함이 그대로 배어 잘 닦이지 않았다. 그렇게 닦고 있을 때 또 다시 물방울이 맺혀 있었다. 처음엔 몰랐지만 저물어가는 끝자락 엄마의 눈물이었다.

세숫대야 물을 몇 번 바꿔가며 엄마의 계단을 발끝까지 닦다가 욕창난 등을 쫓기듯 닦아냈다. 모진 삶 일궈 세우느라 맘 편히 숙이지 못했을 목을 지나 왼 팔뚝을 닦고, 팔꿈치를 살짝 들어 올려 닦으려는데 엄마 팔이 툭, 바닥에 떨어졌다. 헛것을 보았나 싶어 다시 팔을 닦으려는데 툭 하는 설움이 방바닥에 꽂혔다. 정신 차리고 살펴보니 엄마의 왼팔은 퉁퉁 부어 아예 돌아가 있었다. 가슴이 철렁하며 꿇고 있던 모든 관절이 꺾였다.

어떤 것도 엄마에게 물을 수도 들을 수도 없다는 것을 알았을 때, 엄마는 울산바위만큼이나 무거워진 눈을 애써 치켜뜨셨다. 조급해진 나는 엄마가 좋아하시던 식혜를 한 모금 밀어 넣었지만 입 밖으로 흘러내렸다. 혹여 잘못 드렸는가 싶어 다시 조심스럽게 입 안으로 넣어 보았지만, 끝내 용서를 고하지 못한 불효의 자국처럼 주르르 흘러내려 버렸다. 온기가 떨어지는 엄마를 안고 엄마의 마지막 길, 불효를 고했다. 가혹한 침묵에 눈물만 뚝뚝 떨어질 뿐이었다.

온통 새까만 새벽길, 운전을 하면서도 왜, 라는 의문이 머릿속에 또아리를 틀고 파고들었다. 애초 안개 때문에 2시간 30분 정도 늦게 출발해야 했고, 본래 예정된 오하마나호에 승선하지 못해 세월호를 타게 되었다는 것인데, 참 이상한 일이다. 바다 운항 중 가장 안 좋은 것 중의 하나가 바로 안개일 텐데, 예정된 배도 아니고 왜 세월호에 수많은 사람들을 태웠는지, 이 부분이 가장 의문인 것이다. 게다가 그 많은 시간이 지체된 상황 속에서 왜 그들은 출발시키려 했고 출발을 했는지? 한두 명도 아니고 수백 명을 말이다. 그때 누군가가 강력하게 반대를 했거나 필사적으로 다른 대안을 제시할 수는 없었는지 말이다. 그것도 아님 반대도 못하고 침묵으로 일관해야만 했던 어떤 무엇이 있었는가?

어느 것 하나도 이해되지 않는 것들 속에서 세월호가 침몰되었다는 언론 보도와 그 중 구조된 몇 명의 생존자들, 그리고 배

안에서 동그란 유리창을 두들기면서 구조해 달라는 애타는 몸부림들이 파도를 치고 있었다. 고속도로 반대편에 줄을 잇는 하얀 불빛이 눈에 들어오는 순간, 어릴 적 부모님께서 필사적으로 반대하셨던 일이 생각났다.

그때는 무용이나 국악을 하면 딴따라, 광대라고 여기던 시절이었다. 어릴 적부터 무용을 시작했는데 중학교 입학 후 부모님의 강한 반대에 부딪혀 어린나이에 슬펐지만 뜻을 굽히지 않았다. 그런데 무용을 하려면 교육비가 워낙 많이 들어 막막했다. 그럼에도 무용 실력이 월등하면 어떻게든 방법이 있을 거라는 생각과 자신감엔 변함이 없었다.

부모님께서는 항상 무용을 포기하지 않는 것만 빼면 천상 효녀이고 착한 막내딸이라고 말씀해주셨다. 다행히 어려서부터 시작한 무용 실력은 중고등학교 선생님께 인정받아 대전시교육감 무용 콩쿠르에서 고1인데도 개인 2위로 입상했다. 당시 웬만하면 대학진학을 코앞에 둔 고3이나 고2 위주로 상을 주었던 추세였다. 한국무용, 발레, 현대무용을 집중해 연습하고 또 연습했다. 무용반을 지도했던 이정자 선생님과 한국무용과 발레의 양현숙 선생님, 현대무용 김미정 선생님의 특별한 사랑과 지도로 오늘날 한국무용가로 성장할 수 있었던 기반이 된 중고등 시절이었다.

이정자, 양현숙, 김미정 선생님 모두 호랑이 선생님이셨는데 나는 단 한 번도 지적을 받거나 꾸지람을 받은 적 없고, 귀염까지 받아 선후배에게 미안했던 기억이 있다. 특히 호수돈여고 재학 당시 저녁에는 학원 레슨을 받아야 했는데 양현숙 선생님은 그것까지도 장학금으로 대신해주시며 춤만 잘 추면 된다고 응원해주셨다.

그리고 중학교 때 김미정 선생님은 나의 재능을 높이 인정하고 칭찬해주시면서 훗날 이화여대 들어가려면 학업성취고사 성적이 매우 중요하다고 말씀하셨다. 무용 전공하는 학생들 대부분이 공부를 병행하기가 쉽지 않아 성적이 기울고 있을 때, 나는 이화여대 진학을 위해 학업을 놓지 않고 열심히 했다. 방학 때면 서울로 올라가 사촌언니 집에 의탁하면서 예고 학생들과 특별레슨을 받았는데 그것도 김미정 선생님께서 장학금으로 대신해주셨다. 정말 평생 잊지 못할 행복한 배움의 시간들이었다. 그러나 이화여대 들어가고도 남을 학업성취고사 점수와 뛰어난 무용 실기를 인정받으며 진정한 춤꾼, 나아가 교수의 꿈을 이루고 싶었던 나는 부모님의 강력한 반대로 이화여대에 원서도 낼 수 없었다. 절망에 빠져있던 어느 날 새벽, 작은오빠가 깨웠다. 비몽사몽 영문도 모른 채 집을 나서니 택시가 대기하고 있었고, 캄캄한 초행길 오빠에게 끌려 간 곳은 존재조차 알지 못했던 공주사범대학이었다. 그렇게 장학생으로 입학했던 것은 평생 아픈 손가락이 되었다.

대학에 들어가서도 새로운 진통이 시작되었다. 대학 입학 전 현대무용 교수님께서 선배들과 미리 연습해야 한다고 해서 나는 아무것도 모르고 연습을 나갔고, 발레 전공으로 입학했으니 당연히 발레 전공 학생으로 학업을 이어나갈 줄 알았다. 그런데 입학 하자마자 학과장님 호출로 학과장실에 들어가려는 순간 큰소리가 복도까지 나와 차마 못 들어갔다. 발레, 현대, 한국무용 세 분의 교수님들 목소리가 거칠게 들렸는데, 나를 자신의 학과 전공생으로 주장하고 있었다. 즉, 내 뜻과는 전혀 무관한 전공 학생 쟁탈전이 벌어졌던 것이다. 결국 나는 당시 학과장님의 파워가 엄청났기에 입 벙긋도 못하고 한국무용 전공자가 되었다.

특히 학과장 교수님은 내 춤을 보시고 엄청난 총애를 하신 덕분에 부모님께 직접 전화하셔서 "연순이를 내게 주세요. 연순이는 앞으로 큰 무대에서 춤을 춰야 할 아이고 공부도 해서 교수도 할 수 있는 충분한 학생이니까 내 딸로 생각하고 키울 테니 연순이를 주세요." 라는 것을 학과장실에서 직접 들었다. 그러한 탓에 나는 잘못한 것이 없는데도 냉랭한 동기들에게 미안했고 전공 선배들 경우엔 더 불편했다. 훗날 이로 인해 나는 돌이킬 수 없는 여러 가지 사안들을 감수하면서 대학생활 내내 힘들었다. 내가 원하지 않았음에도 학과장 교수님의 일방적이고 강력한 제자사랑의 표현과 방법은, 누구에게도 말 한마디 못하고 그 고통을 혼자 감당하느라 녹녹치 않았던 것이다. 그로 인해 교수님은 나의 24시간을 철저히 관리 감독했지만 정상적인 사제지간이라기보다 오히려 안타까운 관계가 되어버렸다.

여명이 밝았다.

진도대교를 지나 진도실내체육관에 도착했다.

첫날, 그 문고리 한 숟가락만이라도

2014년 4월 16일, 오전 내내 언론매체를 보며 황망함을 감출 수 없었다. 핸드폰으로 대한불교조계종 긴급구호재난봉사대가 언제쯤 발족되는지 검색하고 또 찾았다. 오후 4시쯤 세월호 침몰 장소와 가장 가까운 전라남도 진도에 대한불교조계종 긴급구호재난봉사대 담당스님의 구호 관련 내용과 연락처가 검색되어 바로 전화했다. 그러나 담당스님은 진도 실내체육관에 준비가 전혀 되지 않아 봉사자를 받을 수 없다고 했다. 나는 급한 마음을 누를 수 없어 언제쯤 봉사대가 꾸려지는지 다시 문의하니 지금 거주하는 곳이 어디냐는 질문에 대전이라고 답을 했지만, 이곳에서 최소 준비가 필요하니 18일 아침 일찍 도착할 수 있겠냐고 물으셨다. 나는 새벽 3시에 출발하면 아침 7시에 도착 가능하다고 약속한 후 전화를 끊었다.

그렇지만 좀처럼 편치 않았다. 내겐 시간이 많지 않은데 하루를 더 기다렸다 출발한다는 것이 불편하기만 했다. 그러나 그동안 봉사를 해본 입장에서 내가 당장 가고 싶다고 달려가면 안 된다는 것 정도는 알고 있었기에 참고 애태울 수밖에 없었다. 왜냐면 봉사하러 가는 사람은 한 사람이거나 몇 명일 수 있지만, 그 봉사대를 맞이해 함께 진행하려면 사전에 긴급 상황에 맞춰 기획하고 구상해야 하는 여러 상황들이 있기 때문이다.

암울한 새벽, 휴게소 한번 쉬지 못하고 달려 진도실내체육관 임시법당에 도착해 담당스님과 봉사대 몇 분과 인사를 나누고 세월호 실종자가족 분들의 현 상황과 유의점을 듣고 대한불교조계종 긴급구호재난봉사대 일원으로 봉사를 시작했다. 나는 실종자가족들의 심기에 거슬리는 말이나 행동에 특별히 유의해야 한다는 점을 집중해 인지했다. 그러나 진도실내체육관 문고리를 잡고 들어가기는 하늘의 별 따기처럼 쉽지 않았고, 누구나 들어갈 수 있는 곳이 아니었다. 진도실내체육관 문고리 앞엔 항상 지키는 사람이 있었고, 현장 분위기가 매우 날카로워 금방이라도 풍선이 터지다 못해 핵폭탄이 터질 것만 같은 냉기가 시퍼렇게 떠다니고 있었다. 따라서 걸음걸이 하나 손 하나 움직이는 것도 신경 쓰이고 특히 말소리는 작고 무거웠다.

첫날, 그 문고리를 잡는데 꿈인지 생시인지 모를 정도로 어찌나 기막히고 옥죄이던지 온몸에 빗살 같은 칼날이 솟았다. 그런데 잡은 문고리가 돌아가지 않는다. 순간 당황해 다시 숨죽이고 돌리는데 또 돌아가지 않는 것이다. 그렇게 한번 더 돌렸지만 문고리는 까딱도 하지 않았다. 긴 호흡을 두 번 더하고 그 문고리를 짧게 돌린 후 바로 당겼다. 그 문고리를 잡고 돌리는 동안 밀어야 하는 것을 놓치고 미처 열지 못했던 것이다. 그날 이후 실종자가족들로 무성한 재난현장의 문고리는 꽝꽝 언 스텐에 피부가 닿았을 때 쩍, 하고 달라붙는 것처럼 찌릿한 전류가 흘러 몇 번 손수건을 대고 문고리를 잡고 열었다.

처음에는 대한불교조계종 임시법당 안에서 구호물품을 정리하거나 진열하면서 컵라면과 빵, 음료수를 실종자가족 분들에게 전해주거나 진도실내체육관을 찾은 내방객들을 챙겨야 했다. 특히 기자들이 많았고, 각처에서 국민들의 발걸음이 끊이지 않았다. 그렇게 하루 종일 늦은 밥을 먹는 시간과 화장실 가는 시간 외에는 밤늦은 시간까지 긴급구호재난봉사대의 열기는 식지 않았다.

다음날 일찍 대한불교조계종 임시법당으로 들어섰다. 온수통을 확인한 후 청소를 시작하고 비닐과 박스로 덮어둔 물품들을 차례대로 빼내 플라스틱 탁자 위에 진열하면서 부족한 물품은 담당스님께 여쭙고 진도군 물품보관소에 가서 받아오는데 담당자가 친절하지 않아 신경이 쓰였지만 참았다. 재난현장이고 임시법당으로 빨리 돌아가야 했기 때문이다. 물품 담당자는 갖은 위세를 다 부렸는데 훗날 진도군 공무원도 아닌 봉사자였다는 것을 알았다.

그렇게 바삐 돌아가는 재난현장 속에 담당스님과 개인적인 사유를 주고받을 시간이 여의치 않아 출가 예정일이 오늘이라는 말을 차마 못하고, 개인사정으로 급히 집에 가야 한다고 말씀드렸다. 담당스님은 버럭 화를 냈다. 지금 이 상황에 간다는 말이 나오나? 단호한 목소리로 안 된다고 말씀하셨다. 나 역시 어렵게 말씀드렸는데 일생을 두고 결심한 출가 날짜를 뒤로 미룰 순 없어, 다시 말씀 드렸지만 각처에서 스님들도 많이 오시고 할 일도 많아 안 된다고 하셨다.

이틀만이라도 재난현장에서 봉사하고 출가해야겠다는 나는 진도실내체육관을 경보로 걷듯 뛰고 걷기를 반복하며 결국 밤늦게까지 이어졌다. 아니 그 어떤 생각을 할 겨를도 없이 새까맣게 탄 하늘만 속아 밤이 하얗게 졌다. 그런 봉사가 7일째 이어졌다. 나는 다시 담당스님께 가봐야 할 것 같다고 했다. 담당스님은 그럼 내일 갔다가 당일 저녁에 내려올 수 있으면 가고 아니면 안 된다고 재차 말씀하셨다. 그렇게 담당스님은 당일 진도실내체육관에 도착하는 것을 요청이 아닌 답안지처럼 말씀하셨고, 나는 선의의 거짓말이라는 송구한 마음으로 시동을 걸었다.

대전에 도착한 나는 몸부터 깨끗이 씻고 라면을 끓여 먹은 후 출가 배낭에 간단한 소지품을 준비했다. 당시 나의 마음은 어디 있는지조차 표가 나지 않을 만큼 적막한 등대를 바라보고 있는 듯 담담하면서 고요하고 편안했다. 잠시 1시간만 휴식을 취하고 출발한다는 생각에 봉사하러 가기 전 못 다 읽은 책을 펴서 20분쯤 읽어내려 가는데 전화벨이 울렸다. 대한불교조계종 긴급구호재난봉사대에서 함께 봉사하던 스님이었다. 당일 저녁엔 무조건 팽목항에 도착해야 한다면서 열정적이고 다급한 목소리였다. 입은 그냥 허수아비가 되고, 생각은 사치일 뿐이라는 말이 뇌리를 스쳤다. 스님이 애가 타서 부탁하는데 시원한 대답을 하지 않자 또다시 부탁으로 이어졌다. 순간, 나의 머리와는 다르게 침묵을 깨고 "네"라고 대답한 것이다. 전화를 끊고 물 한잔 마시며 정신을 차린 순간 내가 뭐라고 말한 거지? 왜? 아니, 사람이 나밖에 없어? 뭐야? 하는 생각이 들었지만, 그 짧은 시간에 오간 생각들은 이미 먼지였다. 나는 봉사 배낭에 간단한 소지품을 다시 구겨 넣고 시동을 걸었다.

쐐한 기운이 가라앉은 채 허술한 바람만 떠도는 진도 팽목항이다. 비애의 공기가 결결이 얽혀 숨통이 차단된 느낌이었다. 어두워진 팽목항을 뚫고 진도실내체육관과 팽목항 임시법당을 오가면서 며칠이 휘리릭 지났다. 눈코 뜰 새 없다는 말이 딱 맞다.

나는 실종자가족들을 살피느라 여념이 없었는데 팽목항 부둣가 앞에 쪼그리거나 서서 밤새도록 그 자리를 떠나지 못하는 실종자가족들은 바다 앞 직전에 닿을락 말락할 정도의 바닷물이 꽉 차 있었다. 수학여행 잘 다녀오라는 인사를 나눈 게 다인데 말이다. 시간이 지나도 인정할 수 없는 천둥벼락 같은 비보에 팽목항 바다는 비통한 눈물과 담요 한장에 의지한 채 하얀 등대가 되었다.

전쟁을 겪어보지 않은 세대이지만 내가 본 팽목항은 전국에서 몰려든 기자들과 외신기자들까지 매우 혼란스럽고 무지막지한 전쟁통 속에 한숨조차 사치인 곡소리만 무성했다. 실신하는 실종자가족들을 부축해 가까운 천막으로 이동하거나 119를 불러달라고 긴급히 요청하며, 아님 진도 인근 병원으로 안내하는데 뛰어다녔다.

진도실내체육관 문고리를 잡고 들어가기가 좀처럼 쉽지 않았던 그 당시 구호물품을 준비해 정해진 시간에 조 단위로 함께 들어가면 이상한 분위기가 있었다. 그것은 암 말기 환자 요양원 등에서 느꼈던 것과 달리 말로 설명 안 되는 독특한 향이 있었다. 아마도 재난현장의 독초, 한(恨)이 아닐까 라는 생각이다.

어느 날 수많은 실종자가족 중 내가 세월호 자원봉사를 끝까지 함께할 수 있었던 이유 중의 한 가지가 된 가족을 만났다. 진도실내체육관에 죽을 들고 들어가 실종자가족들에게 전해주면 고개를 저어 가져가라고 손짓을 하거나 쳐다보지도 않고 누워 등지고 계시는 분들이 많았다. 그러다 어느 실종자가족을 만났다. 죽을 들고 가는 나를 보고 무거운 몸을 힘들게 일으켜 세우는 그분의 모습에 가던 발걸음을 차라리 멈추고 싶을 정도로 너무 송구했다.

　중년이라기엔 연세가 조금 있어 보이는 여성분과 마주했다. 나는 떨어지지 않는 입을 떼면서 준비해 온 죽을 내놓고 "입에 맞으실지 모르겠지만 따뜻할 때 한 술이라도 드셔야 찾을 수 있고 기다릴 수 있으니 제발 한 술만 뜨시면 어떨까요?" 라고 낮은 목소리지만 예의를 다해 공경하는 자세로 여쭈었다. 그런 나의 눈에 그 실종자가족의 눈물이 들어왔다. 그렇다고 덥석 손을 잡아주는 것은 불편하거나 부담이 될 수 있다는 생각에, 눈을 마주치며 무언의 긍정을 표하는 눈빛을 보내고 귀 기울여 그분의 말씀을 집중해 들었다.

　나는 죽의 따뜻한 온도가 점점 식어간다는 생각을 했지만 실종자가족의 이야기를 듣는 것은 하늘의 별따기처럼 쉽지 않은 때였기에 진심을 다해 그분의 심중을 들으려 했다. 그런데 계속 눈물만 흘리고 계셨다. 앞에 놓인 죽에선 하얀 김만 점점 올라갔다.

　나는 용기를 내어 "한 가지 말씀 드려도 될까요?" 여쭈었더니 그분은 고개를 끄덕이셨다. "지금 잠깐 안아도 될까요?" 말씀드리자 다른 반응을 보이지 않아 처음엔 내 가슴과 그분의 가슴이 닿지 않게 조심해 어깨를 안았다. 그리고 어떤 말도 하지 않았다. 그렇게 10여 초 정도 그분의 등을 쓸어내리는 동작을 두 번 정도 했고 이후 10여 초 정도 가슴을 좀 더 밀착해 안는 순간 그분은 가슴을 찢듯 울분을 토해냈다. 그 소리는 진도실내체육관 천정에 높이 달린 전등에 닿아 터지는 듯했다. 그분의 심장을 부여안고 또 안기만 했는데 완전 결이 다른 천둥 비 소리가 틀림없었다. 그렇게 토해낸 그분의 창백한 얼굴에 혈색이 돌아오는 것이 보이고 한결 편안해 보였다.

생전 처음 만난 사람들끼리 연고부지도 없는 재난현장에서 봉사를 한다 해도 얼마만큼 알고 누가 누굴 위로한다는 것 자체가 어불성설일 수 있다는 생각에 주의를 기울였다. 왜냐면 어떤 재난현장에서도 최소의 인권은 보장받아야 한다는 것이 주된 가치관이기에 섣불리 봉사라는 이름으로 누굴 간섭하거나 개입해서는 안 된다는 생각을 했다. 다만 할 수 있는 것은 그냥 있는 그대로 실종자가족 분의 양해를 구하고 안아드린다거나 집중해 듣고 공감하는 표현을 해주는 것밖에 할 수 없었던 것이다.

특히 말이란 것은 내 입장에서 진심을 다한다고 해도 그대로 전달될 가능성은 턱없이 부족한 재난현장이고, 어떤 형태로든 관계가 성립되고 신뢰의 관계가 아니라면 무의미해 주워 담을 수 없는 것이다. 게다가 말은 무엇보다 쉽게 흩어지기도 하지만 엉뚱한 날벼락으로 되돌아 올 수 있는 가능성이 너무 크다는 것을 충분히 알고 있어 주의를 했다.

죽의 온도가 내려갔다. 그러나 우리의 관계가 형성된 신뢰의 온도는 높고 깊어졌다는 것을 그분의 눈빛을 보고 느낄 수 있었다. 나는 살짝 미소를 지으며 "그래도 한 숟가락이라도 잡수시면 가족을 하루라도 앞당겨 만날 수 있을 것 같아요." 라고 나지막하게 전했다. 다행히 수저를 달라는 손짓에 그분 앞으로 죽을 조금 밀어드렸더니 반절 정도 드셨다. 이후 물 한 모금 들기를 권했더니 두 모금 마시고 종이컵을 내려놓았다. 그때 나는 그분의 두 손을 잡고 "기운 내시고 어머님을 비롯해 모든 실종자가족들이 이곳을 떠나 집으로 돌아가실 때까지 끝까지 함께하겠습니다." 라고 말씀드렸다.

그렇게 봉사 중 실종자가족에게 전했던 말이 말의 씨앗이 되어 스스로의 약속 아닌 약속의 종자가 되어 끝내 족쇄 아닌 족쇄가 되고 화두가 되었다.

그 번개, 병풍도 선상바지

봉사자들 중 누가 당했는지 잘 모르지만 최소한 나의 경우엔 사복 입은 남자들이 번갈아 가며 내 주변을 서성이거나 뒤를 쫓았고, 수시로 내게 이런저런 말을 묻기도 하고 집으로 돌아가라는 말을 팽목항에서 들었다. 처음엔 저 사람들이 뭐하는 사람인지도 모르고 낯선 사람들이 왜 저러나 싶은 의문이 스치면서 여러 번 들을 땐 무서웠다. 당시 실종자가족 모두 그런 날들이 연속되었다. 모두 대놓고 감행한다고 수근대고 불평불만을 토했다.

세상이 어떻게 돌아가는지 매일 쏟아지는 뉴스들에 기함은 물론 꼬리에 꼬리를 물고 터져 나오는 정부와 박근혜 대통령의 빈 시간들에 대한 의문이 풀리지 않아 국민들의 분노가 치솟았다.

대한민국 온 국민이 참담한 하루를 겨우 보내고 있는 그때 진도실내체육관 대한불교조계종 임시법당 안에는 하루도 빠지지 않고 해야 했던 봉사 하나가 있었다. 처음엔 담당스님 몇 분 정도와 봉사자 몇 명 그리고 대한불교조계종 사회복지재단 직원 몇 분이 함께 진도실내체육관 임시법당을 운영 관리하다 일부 나뉘거나 교대하면서 때론 추가된 스님이나 교체된 스님 등의 봉사자로 팽목항 임시법당까지 오가는 형태였다,

그런데 ㅇㅇ스님이 임시법당에 오시는 스님들은 꼭 보이차로 공양 올려야 하니 그렇게 하라고 말씀하셨다. 순간 신경이 쓰였지만 분별하지 않고 순응했다. 그러나 얼마 되지 않은 시점부터 전국교구본사, 직할교구 등 서로 앞다퉈 진도실내체육관 임시법당과 팽목항 임시법당을 방문해 기본법회 및 구호물품과 구호금을 전달하기 바빴던 시절이 있었다. 그러나 하루 한 번도 아니고 그 바쁜 재난환경에 스님들 몇 분이 모여 오시거나 아님 조를 이루어 오시는 경우가 많아 다른 봉사를 하다가도 재빨리 보이차를 내 드려야 했다.

어느 날 화장실 볼일이 급한데 더 이상 참기가 어려워 옆에 있는 다른 봉사자 분에게 말씀드리고 화장실을 다녀왔다. 그 사이 또 다른 스님들이 방문해 임시법당이 복잡해졌지만 서둘러 보이차를 준비해 공양 올리고 잠시 숨 돌릴 틈이 없었다. 그런데 내가 화장실 갔을 때 ㅇㅇ스님이 나를 찾아 함께 봉사한 분이 화장실 갔다고 말씀드렸더니 화를 내면서 뭔 놈의 화장실 가

서 여태 안 오냐? 라고 하면서 앞으로 스님들 오시면 금비보살만 보이차 공양을 여러 스님께 올리도록 하라는 말씀을 하셨다는 것이다.

나는 그 순간 잘못 들었나? 봉사자 분이 잘못 전달했나? 싶었다. 이상해도 너무 이상한 말이였기 때문이었다. 나는 실례를 무릅쓰고 그 봉사자 분에게 다시 물어봤다. 그러나 똑같은 말을 했다. 당시 임시법당에서 화장실은 바로 앞이 아니고 좀 떨어진 거리에 있었다. 대략 10분도 안 된 시간에 화장실을 다녀온 것 뿐이였다. 그것도 참고 참다 말이다.

세월호 재난현장인 진도실내체육관과 팽목항을 오가며 실종자가족들과 유가족들을 위해 먼저 안전을 살피고, 구호물품을 챙겨드리면서 위로하고, 함께 동행할 사안이 있으면 미련이나 후회 한 점도 없게 하려 몸이 퉁퉁 부어도 잠을 아껴 매순간 진심을 다하고 정성을 다했다.

사실 커피믹스 한 잔도 서둘러 후딱 마시다시피 하고 한숨 돌리기 무섭게 재난현장에서 봉사하는 수많은 봉사자들, 나 역시 자동차 운전석에서 쪽잠 자면서 봉사하는데 말이다. 하물며 스님들이 일반 생활터전도 아닌 전 세계가 경악한 세월호 침몰의 재난현장에서 꼬박꼬박 봉사자가 내주는 보이차를 그토록 마셔야만 한다는 것 자체부터 살펴봐야 한다는 생각이었다.

나는 대한불교조계종 긴급구호재난봉사대 명찰(금비/불명)

을 다시 한번 쓰다듬으면서 나의 심장에 지장을 찍듯 팽목항으로 달려갔다.

　며칠 후 팽목항에서 끊이지 않는 곡소리에 귓가가 쟁쟁하고 일생 한 번도 맡아 본 경험이 없는 특별한 냄새와 뒤섞여 뒹구는 바람이 매섭게 불고 있을 때, '나는 과연 출가라는 것이 무엇인가?' 라는 말도 안 되는 의심이 일어났다. 특히 세월호 침몰이라는 커다란 고통 앞에서 진정한 출가가 무엇인지? 의구심과 화두가 솟구쳤다. '세월호 재난현장에서 내가 필요하고 할 수 있는 일이 있다면 바로 이 자리가 출가 자리다.' 라는 번개가 지나는 순간 깨침이 일어났다.

　바로 그때 ○○스님께 전화가 왔다. "출가한다고 한 놈이 왜 안 오냐?" 라고 하시면서 "지금 있는 곳이 어디냐?" 라고 묻고 웃으시면서 "금비, 네가 있는 곳이 어딘 줄 다 안다. 이놈아." 라고 말씀하셨다. 나는 화들짝 놀라 "그걸 어떻게 아세요? 축지법이라도 쓰세요?" 라고 여쭈었다.

　스님은 여전히 인자하고 차분한 목소리로 "팽목항에 있지?" 라고 물으셨다. 순간 깜짝 놀라 뒤뚱했다. "그래 언제 올라 오냐?" 나는 팽목항 바람이 불어대는 그 길, 일각의 지체도 없이 "세월호로 출가하겠습니다." 라고 단호한 목소리로 말씀을 드렸다. 이어 "삭발해 승복 입고 불법 배우고 익혀 깨치는 일도 마땅히 큰일이지만 지금 제가 서 있는 이곳, 곡소리가 난무한 팽목항에서 세월호로 출가하겠습니다." 라고 재차 말씀드렸다. 나의 목소리는 결연하고 엄중했다.

　스님께서는 "그래 그래라, 잘 생각했다. 아픈 사람들 곁에서 손발이 되고 끝까지 함께해라. 그리고 진심을 다하고 정성만 다해라." 라고 말씀하시면서 흐뭇하게 웃으셨다. 바로 그날 그 번개, 세월호로 출가라는 돛을 올려 새로 태어난 출가자로서의 마음을 일으켜 세웠다. 한 발 두 발 딛고 팽목항 등대를 향해 걸어갔다. 그날 그 번개가 획 지나간 순간, 훗날 세월호 자원봉사를 넘어 세월호 침몰의 역사를 밀어 올리고자 '수처작주(隨處作主)' 한 처절한 수행을 팽목항 등대는 다 보고 들은 날이었다.

　팽목항 분향소에서 등대 가는 길에 어르신께서 "여그가 그 애덜들이 빠졌다는 곳 아녀유?" 라고 물어보셨다. 대부분 추모하러 오신 국민들은 팽목항 앞 바다에서 세월호 사고가 발생한 줄 알고 슬퍼하고 추모하며 못 다한 말들을 이어갔다. 세월호 침몰현장은 전라남도 진도군 맹골수도 바다 위에 있고, 침몰현장 선상바지는 아무나 출입할 수 없는 특별경계구역이었다. 그러나 다행인지 불행인지 알 수 없으나 나의 출입이 허락되었다.

　어느 날 세월호 유가족(세민아빠/가명)을 만났다. 실종자를 수습했다는 뉴스가 거의 없을 때였다. 날씨는 점점 따뜻해지는데 실종자를 수색하러 매일 바다 속으로 들어가는 민간잠수사들 걱정이 앞섰다. 그런 고민을 하다 유가족분과 나는 대한민국의 대표음식 김치찌개를 준비해 민간잠수사들과 관계자들을 응원하기로 했다. 그러나 세월호 침몰현장 선상바지까지 직접 음식 봉사를 간 것은 한 번도 없던 상황이었다. 더군다나 구호물품이 식품인 음식이었고 방문자는 개인(금비/대한불교조계종 긴급구호재난봉사대)이었다. 결론부터 말하자면 어려운 조건은 다 갖춘 것이다. 철저한 신상조사 및 확인을 거쳐 출입이 가능했다. 그리고 보통의 구호물품은 내방자 없이 팽목항에서 해경 등 담당자들이 구호물품을 확인해 전용 배로 담당자들이 운송했다.

세월호 침몰현장 선상바지로 음식 봉사를 직접 간 것은 민간인으론 최초이고 유일했던 것으로 기억한다. 우리는 먼저 맛있게 잘 발효된 묵은지 김치를 찾아야 했다. 마침 유가족이 맛있는 김치가 안산 집에 있는데 그 김치로 만들고 싶다고 했고, 나머지 필요한 것은 진도읍 마트로 가서 구매했다. 그렇게 세월호 유가족과 나는 세월호 침몰현장 선상바지에 동반출입하는 것을 담당자에게 접수 후 팽목항을 향해 운전했다. 팽목항 부두에 주차 후 구호물품부터 옮겼다. 팽목항 매표소 앞 부두와 방향이 다른 부두엔 세월호 침몰현장으로 구호물품이나 민간잠수사 등 정부관계자 등의 출입을 위해 운행하는 배가 있었다.

유가족이 먼저 승선하고 관계자분들이 승선한 후 내 차례가 되어 승선하려는데 어떤 비구니스님이 기다렸다는 듯 나를 제지했다. 나는 그 비구니스님을 워낙 잘 알고 있었지만 상황을 지켜볼 도리 밖에 없었다. 출입을 담당한 관계자는 내 명찰을 보고 "타세요." 라고 했다. 그래서 다시 승선하려고 발을 내딛는데 또 달려들어 제지했다.

사실 대한불교조계종 긴급구호재난봉사대로 진도실내체육관에 도착한 첫날 그 비구니스님을 처음 본 순간 뭔가 이상한 생각이 들었다. 왜냐면 그 비구니스님에겐 굉장히 낯선 말투와 억양 그리고 어색한 승복이 유독 느껴졌다. 늦은 오후 담당스님께 저 스님 왠지 이상하고 수상한 것 같으니 한번 살펴보시면 좋겠다고 말씀드렸지만 담당스님은 "스님이 스님이지 뭐가 이상하다는 거야?" 라고 오히려 반문했다.

나는 더 이상 여쭐 수 없어 지켜만 보았는데, 일일이 시비 걸고 없는 말로 탈 잡고 실종자가족 분들이나 유가족 분들에게도 이상한 말만 하고 돌아다니는 것을 보면서 위험하다는 생각을 했다.

그렇게 스쳐 지나간 일들이 소나기처럼 회상된 그때 큰 소리가 들렸다. 승선한 유가족은 엄청 화가 난 목소리로 그 비구니스님에게 "지금 뭐하는데?" 라고 거칠게 말하면서 승선을 책임진 담당자에게 손짓하고 나를 빨리 태우라는 신호를 보냈다. 그런데 그 비구니스님은 "안 됩니다." 라고 했다. 그러자 유가족은 더욱 화가 난 큰 목소리로 "와 안 되는데요?" 라고 따져 물었다. 바로 뛰어 내려가 뭔 일이 날 것 같은 분위기로 삽시간 험악해 졌다.

사실 그 비구니스님은 아무런 권한이 없는 나와 똑같은 봉사 자일 뿐이었다. 그럼에도 승복을 입은 스님이라는 이유 하나만 으로 유가족과 동행해 봉사하러 가는 것을 뻔히 알면서 비상식 적인 언행으로 분수를 넘는 것이었다. 결국 유가족은 배 아래로 내려와 엄청 격분한 목소리로 그 비구니스님 앞을 가로막고 "똑 똑히 들으세요. 뭔 스님인지 아닌지 모르겠지만 앞으로 이 배 못 탑니다. 유가족인 제가 원하지도 않고 당신 같은 사람이 뭔 데 봉사하러 가는 봉사자를 뭔 이유로 배에 타지 못하게 해?" 라 고 버럭 화를 내면서 나를 잡아당기고 "어서 타세요." 라고 재촉 했다. 그리고 유가족은 여러 관계자 분들에게 손가락으로 가리 키면서 "앞으로 이 여자, 절대 배에 태우지 마십시오. 나중에 배 에 태웠다는 말 들으면 그땐 가만있지 않겠습니다. 정상적으로 애쓰고 봉사하는 사람에게 왜 이런 식으로 합니까? 그것도 승복 까지 입은 사람이 제정신입니까?" 큰 목소리로 말씀하시면서 마 무리 되었다. 그렇게 나는 바로 승선했고, 그 비구니스님은 남 은 관계자들에게 제지를 당해 배에 타지 못했다.

어느 날 진도실내체육관과 팽목항에서 임시법당을 총괄했던 담당스님과 만날 일이 있어 대화하는데 그 비구니스님 이야기가 나왔다. 담당스님은 내게 이런 말씀을 했다. "그땐 워낙 경황 없을 때라 승복 입고 머리 깎아 스님이라고만 생각했는데 대한 불교조계종 승적을 갖지도 않고 대한불교조계종 승려인 것처럼 언행한 것은 물론, 실종자가족, 유가족들에게 못된 짓을 했다." 는 말씀을 들었다. 삭발하고 승복만 입으면 다 스님인 것인가?

나는 그 비구니스님을 처음 본 순간 눈빛이나 여러 가지 등이 예사롭지 않았던 것을 쉽게 알 수 있었는데 말이다. 나는 세월 호로 출가한다는 결단을 할 때, 특히 삭발과 승복, 그 모양에 속 지 말자는 가치와 중심을 단단히 붙잡고 있었다.

그럼에도 지속적으로 들리는 말들이 험악해 담당스님이 한 참 후 알아보니 타 종단인 것을 알았지만 어지간하면 어느 정도 모른 체 하려고 했는데, 현실은 전혀 반대로 흘러 비구니스님을 불러 진도실내체육관과 팽목항을 조용히 떠나달라고 요청했다 고 했다. 그러나 그 비구니스님은 차일피일 거짓말만 하고 피해 다니면서 유가족과 실종자가족들을 만나 여러 일들을 자행하면 서 피해가 속출해 담당스님은 더 이상 두고 볼 수 없어, 그 비구 니스님을 또다시 불러 단호하게 "승복 입고 팽목항에 돌아다니 지 말고 당장 떠나라 했다."고 했다.

그럼에도 그 비구니스님은 떠나지 않았고 다시 불러 "당장 떠 나지 않으면 대한불교조계종단 호법부로 신고할 테니 그런 줄 알라고 했다."고 했다. 그렇게 몇 번을 질척거리다 그 비구니스님은 팽목항을 떠났고 가끔 몰래 다니는 것까진 어쩔 도리가 없었다고 말씀하셨다. 내가 이런 이야기를 담당스님께 들은 것은 5년이 지난 후였다.

팽목항 단주와 49재

　　세월호 침몰현장에 봉사를 마치고 팽목항을 향해 배를 타고 나가던 중 바다 한가운데서 대한불교조계종 사회복지재단 최종환 국장에게 전화가 왔다. 대한불교조계종 총무원장(자승)과 대중 스님들의 팽목항 임시법당 방문과 관련한 내용이었다. 순간 그토록 중요한 내용을 왜 내게 전할까라는 생각을 하는데, 국장님은 실종자, 유가족들 곁에서 가장 가까이 봉사하고 있는 금비보살이 꼭 도와줘야 한다고 했다. 총무원장님께서 실종자가족과 유가족들을 뵙고 위로의 말씀을 전할 예정인데, 가족들을 모아달라는 부탁의 말씀이었다.

　나는 앞이 캄캄했다. 팽목항 곡소리가 난무해 얼마나 기막힌 재난현장인데 어떻게 입을 뗄 지 엄두가 나지 않았다. 하지만 총무원장님께서 세월호 희생자 304명에 대한 첫 위로방문이기에 마냥 거절할 수 없었다. 나는 한 가지 부탁을 드려도 되는지 여쭈었다. 간혹 관광버스들처럼 휙 둘러보고 가지 않기를 먼저 부탁했다. 그리고 팽목항 입구 대형주차장에 주차 후 종단차원에서 모든 스님들은 가사 장삼을 수하고 일렬종대로 팽목항 임시법당까지 걸어오시는 것을 제안했다. 슬픔에 가득 찬 실종자 가족들이 팽목항 컨테이너 앞 먼발치에서라도 그 모습을 보면 작은 위로가 되지 않을까라고 생각했다. 또한 팽목항을 찾은 국민들에게도 많은 울림이 될 수 있을 것 같다는 말씀을 전했더니 생각지도 못했는데 고맙다는 인사와 함께 당일 그렇게 팽목항 등대를 걸어 들어오시기로 했다.

나는 당장 유가족들을 어떻게 설득할지, 실종자가족 한 분이라도 어떻게 팽목항 임시법당으로 모실지 생각이 깊어졌다. 봉사자라고 해도 일거수일투족 살얼음판을 걷는 팽목항에서 임시법당인 종교시설에 가족들을 모신다는 것은, 불심 깊은 불자가 아닌 이상 한마디를 건넨다는 건 여간 조심스럽지 않은 상황이었다. 언제 넘어져도 이상하지 않고 누가 등 떠밀지 않아도 혼자 엎어질 수밖에 없는 그런 암흑적인 재난바람이 계속 이어진 현장이었다. 이틀도 안 남은 시간 동안 실종자가족들은 전혀 여의치 않다는 생각에 유가족들 한분 한분 조심스럽게 설득의 설득을 반복해 나갔다.

대한불교조계종 총무원장님과 총무원 임원진 스님들 그리고 원근각처에서 수십 명의 스님들이 팽목항 임시법당을 방문했다. 이어 간략한 법회를 시작으로 총무원장님의 추모와 남은 실종자들을 향한 기다림의 말씀과 위로가 있었다. 나는 유가족 대표로 단원고 제세호 학생 부친을 추천했다. 총무원장님은 제세호 학생 부친을 품에 안아주면서 특별한 위로의 말씀을 전해 주시는데, 큰 위로가 되는 것을 옆에서 보고 마음이 저렸다. 총무원장님은 봄 햇살 문틈으로 창호지가 숨 쉬는 뭉클한 바람 한 점이었다. 지금도 눈에 선연하고 생생하다. 총무원장님의 가장 여법하고 아름다운 자비의 모습이었다. 다른 유가족들의 손목에도 일일이 직접 단주를 채워주셨다. 훗날 그 당시 함께했던 유가족분들을 만나면 그때 팽목항에서 총무원장님이 위로해 주셨던 그 모습을 잊지 못한다는 말씀을 하셨다.

어느 날 사회복지재단 최종환 국장님에게 또 전화가 왔다. 총무원장님께서 '세월호 희생자 49재'를 조계사에서 여법하게 봉행하고 싶다고 하시니 유가족분들을 모실 수 있게 도와 달라는 부탁이었다. 지난번 총무원장님의 팽목항 임시법당 첫 방문 때도 가족분들이 고개를 저었던 가족 분들을 진심 다해 설득했는데, 이번엔 그조차도 쉽지 않은 49재를 부탁하셨다. 왜냐면 그 어떤 가족도 자식과 가족의 죽음을 인정할 수조차 없는 뼈아픈 시점이었기 때문이다. 그러나 총무원장님께서 세월호 희생자에 대한 각별한 마음이 깊으셨던 것을 익히 알고 있었기에, 이번에도 다가 온 인연을 있는 그대로 받아들여 수행 정진해야 한다는 마음을 새겼다.

다음날 일찍 진도에서 출발해 안산 4.16가족협의회 컨테이너 공간에 도착했다. 실종자가족에서 유가족으로 위치가 달라진 데서 오는, 뭔가 여유 아닌 여유가 느껴지는 무채색 공기가 있었다. 그러나 언행을 조심하지 않으면 정관계자는 물론 봉사자들도 한순간에 퇴출당하는 분위기가 압도적이었던 때여서, 그 어느 때보다 더 조심스럽게 유가족 분들과 인사하고 잠시 대화를 나누었다. 그렇지만 여전히 무거운 분위기에 입을 떼기가 여의치 않아 그 공간을 나와 다른 유가족 분들에게 전화를 해서 인근에서 만났다. 그렇게 49재가 뭔지 전혀 모르는 분들, 자식의 장례를 마쳤어도 본질적으로 어린 자식의 죽음을 받아들이지 못한 분들에게 한 걸음씩 다가가 위로와 공감을 거듭하면서 며칠 안산 모텔에서 머물러 총무원장님의 뜻을 전하고 전했다. 이 지면에서 다 풀어놓지 못할 정도로 많은 정성과 성심을 다한 결과 버스 한 대로 모실 수 있게 되었다.

드디어 49재가 봉행되는 날이다. 나는 전날 진도에서 출발해 안산에 도착 후 인근 모텔에서 잠깐 눈을 붙인 뒤 다음날 일찍 종단에서 준비한 대형버스가 있는 곳으로 이동했다. 나는 유가족 분들에게 차례대로 인사드리고 종단에서 오신 스님과 인사를 나누고 버스로 함께 승차했다. 종단에서는 아침 이른 시간에 출발하는 걸 고려해 간단한 떡과 음료를 미리 준비해 오셔서 유가족 분들에게 나누어 드렸다. 특히 봉사자인 나를 믿고 안산에서 서울 조계사까지 자리해 준 유가족 분들에게 너무 감사하면서도 송구한 마음이 교차되었다. 무거운 침묵이 내려앉은 버스 안에서 우리들은 가시방석이 된 마음을 여밀 새도 없이 조계사에 도착했다.

깜짝 놀랐다. 일정표에 없었는데 총무원장님이 이미 마중 나와 계셨다. 그리고 유가족들에게 일일이 인사와 말씀을 전해 주면서 맞이해 주셨다. 그제서야 가족들의 심기가 안정되어 보였다. 그 옆엔 총무원 임원진 스님들이 함께했다. 49재가 시작되는 시간이 임박해 신속히 조계사 대웅전으로 유가족 분들을 안내해 모두 모셨다. 우린 결코 녹록하지 않은 '세월호 희생자 49재'를 마쳤다. 나는 한편으로 팽목항에서 목 놓아 이름 부르고 있을 남은 실종자가족들을 생각하니…, 유가족의 이름이 얼마나 부럽고 부러운가! 라는 생각이 들면서, 봉사자인 나도 이런 마음인데 아직도 자식과 가족을 찾지 못한 그 실종자가족들의 마음이 오죽할까라는 절절한 아픔을 애써 꾹 누르고 뒤돌아 나오는 발걸음이 무거웠다.

조계사 일주문 앞에 준비된 대형버스를 향해 유가족 분들을 인솔해 가는데 버스 앞에 총무원장님과 대중스님들이 벌써 기다리고 계셨다. 유가족 분들도 그 모습에 많이 놀라기도 하면서 좀 더 신뢰하고 편안해진 모습들을 가까이서 볼 수 있었다. 총무원장님은 인자하고 자비로운 엷은 미소로 유가족 분들이 버스에 오르기 전, 단주를 손에 꼭 쥐어 주면서 인사와 위로를 차분하게 전해주셨다. 나 역시 총무원장님의 세월호 희생자에 대한 각별한 애정과 깊은 마음에 공감하면서 유가족을 대신해 감사한 마음으로 두 손을 정갈하게 모아 인사를 했다.

마지막으로 버스에 올라 유가족들의 인원을 점검하고 창밖을 보니 그때까지도 총무원장님과 대중스님들은 자리를 떠나지 않고 손을 저어주셨다. 유가족들은 그런 총무원장님의 모습에 마음이 녹아지는 듯해 보였다. 나는 종단에서 준비한 도시락과 음료를 빠짐없이 나누어 드렸다. 안산으로 올라오는 대형버스에 스님은 탑승하지 않으셨다. 사실 조계사 도착 시 그 스님은 49재 마치고 안산 갈 땐 내게 모든 것을 일임하셔서 나와 유가족들만이 자리를 함께했다. 버스가 출발하자 49재를 올리며 잠시 녹았던 마음은 '세월호 희생자의 길 없는 길'에 오르고 있었다.

이름의 다름

　　세월호 침몰 당시 실종자가족들은 똑같은 선상에서 말 그대로 실종자가족이었다. 진도실내체육관 입구 A4용지엔 시신의 유품 및 특정 신체 부분이나 악세사리 등이 기록되어 처음엔 실종자가족들이 우르르 달려가 혼잡했는데 시간이 지날수록 침체된 분위기로 무거워져 갔다.

　사람 심리라는 것은 상식적이고 어느 정도 통계적 성향이나 거리 안에서 측정할 수 있는 언어와 행동으로 가늠할 수 있다. 그러나 내가 바라보고 옆에서 겪은 가족들은 전혀 그렇지 않았다. 처음엔 팽목항 부두 앞에서 담요 한 장에 의지한 채 밤을 지새며 넋 놓고 기다렸고, 때론 실종자가족분들의 안위가 너무 걱정되어 수시로 경찰 분들이 경계선을 순찰할 때, 의심 가거나 불안한 실종자가족 분들이 계시면 서로 소통해 알려주고 걱정하면서 찾으러 나서고 또 찾아 헤매다녔다.

어느 날 진도실내체육관 문 앞 A4용지에 실종자 시신의 특정 부위 및 유품 몇 줄이 눈에 들어왔다. 짧은 시간 집중하는데 문득 스치는 생각이 있었다. 그러나 잘못 들었는지 아님 다른 실종자와 착각할 수도 있다는 가정을 염두하고 한번 더 읽었다. 그런데 자꾸 생각났다. 그러던 와중에 실종자가족의 엄마(동식/가명)를 만나게 되었다. 나는 그분에게 "혹시 보셨어요?" 물었고, 그 엄마는 기운 없이 "뭘 봐요?" 했다. 진도실내체육관 방향을 손으로 가리키면서 "저곳에 가보셨나 해서요." 하자 그 엄마는 다급해진 목소리로 채근하듯이 "뭐가 나왔어요?" 눈이 커지면서 흔들리는 동공은 이미 그곳을 향해 뛰어갔다. 나 역시 뒤따라 뛰어갔다. 그 엄마는 연신 고개를 갸웃거리며 보고 있었지만 왠지 우리 애는 아닌데, 라는 표정이었다. 그렇게 엄마는 맥이 다 빠진 눈빛으로 자식을 찾지 못해 시멘트 바닥에 억울한 분노를 운동화 밑창으로 박박 긁으며 또 어딘가로 걸어갔다.

나는 실종자가족 엄마가 긴장하고 조급한 나머지 글을 제대로 인식하는 기능이 다 작동되지 않았거나 고통에 짓눌려 눈 뜨고 글을 봤어도 뇌로 인식하지 못한 것이 아닐까? 걸음을 재촉해 다시 그 엄마를 찾았다. 왜냐면 아들에 대한 이야기를 내게 했던 적이 짧게 있었는데, 그때 들었던 것 중의 하나가 유품에 있다는 것을 확신했기 때문이다. 엄마가 진도실내체육관에서 나와 운동장 방향으로 혼자 걸어가는 모습을 보고 나는 다시 뛰어가 A4 용지를 초집중해 읽었다. 비 온 뒤 땅이 굳어지듯 아님 오해가 있다가 오랜 시간 지나 풀리듯 다리가 파르르 떨렸다.

나는 실종자가족에게 용기를 내서 "한 번만 더 가서 확인해 보면 안 될까요?" 라고 여쭈었더니 "어디를요?" 핀잔하듯 방향을 돌려 앉았다. 나는 당혹해 얼굴이 화끈거렸지만 침착하게 "제가 볼 땐 맞는 것 같아요. 아드님이요." 라고 나지막하게 전했다. 실종자 아빠는 기가 막힌 듯 내 얼굴을 빤히 쳐다보며 "지금 보고 왔는데 뭔 말을 하는 겁니까?" 따지듯 물었다. 나는 싸늘한 얼음을 삼키지도 뱉지도 못한 채 숨죽이고 있다가 재차 권했다. "지금이 아니더라도 안정을 취하셨다가 유품을 한 번만 더 확인해 주시면 감사하겠습니다." 인사를 마치고 나오는데 눈시울이 붉어지면서 눈물이 핑 고였다. 그러나 어느새 위아래를 반쯤 깨문 내 입술은 눈물이 새 나가지 않도록 빗장을 걸어두고 있었다.

그런데 나도 모르게 눈이 멈춘 곳은 그 실종자가족 분들이었다. 얼른 몇 발짝 뛰어가자 그 엄마는 한 발짝 앞서 걸으면서 "가서 보려구요." 라고 했다. 나도 뒤따랐다.

그 가족은 서둘러 다른 실종자가족들을 비집고 A4 용지 앞에 섰다. 나는 아들을 찾을 수 있기만을 간절히 기도했다. 그때 그 엄마의 목소리가 먼저 들렸다. 아들의 이름을 외친다. 아니 절규한다. "아이고 아들, 내 아들도 몰라보고, 너를 영영 찾지도

못할 뻔했구나. 허 흐 엉….” 아빠는 A4 용지를 몇 번이고 더듬
더니 굵은 눈물을 허공으로 밀쳤다.

나는 마음을 다잡고 감사함과 안도의 숨을 몰아쉬면서 실종
자가족 분들에게 “지금 여기서 이럴 게 아니라 어서 팽목항으
로 가셔야죠.” 라고 하면서 그 엄마를 바라봤더니 다리에 힘이
풀렸다. 나는 재빨리 내 몸을 밀착해 부축했다. 그 엄마는 내게
“나 좀 도와주세요. 혼자 두지 마세요. 절대 혼자 못 볼 것 같아
요. 꼭 약속해 주세요.” 라고 했다. 나는 난감하다 못해 정신이
하얗게 되었다. 당시 실종자가족 외엔 절대 시신이 있는 임시천
막 안으로 들어갈 수 없었기 때문이다. 특히 봉사자가 뭘 해도
무조건 말이 되고 탈이 되는 상황들에 대답을 하지 못하고 그
엄마를 부축해 팽목항으로 시동을 걸었다.

팽목항 가는 길 반대 방향은 119 구급차의 사이렌 소리가 도
로를 삼키고 있었다. 실종자가족 분들도 약속이나 한 듯 창문
밖만 유심히 바라보았다. 나는 그 모습을 보면서 만감이 교차했
다. 왜냐면 이 순간 진도실내체육관에서 오매불망 내 아들, 내
딸, 그리고 내 남편, 내 아내, 내 부모를 기다리느라 지쳐가는 그
들에겐, 지금 팽목항을 향해 아들의 시신을 확인하러 가는 길조
차 넘을 수 없는 벽임을 알고 있는 것이다. 또, 아들자식의 주검
을 확인하러 갔는데 시신이 너무 손상돼 확인조차 어려워 국과
수 검증으로 의존해야 하는 피 말리는 지옥의 시간도 있었기 때

문에 공포와 두려움이 동반된 고통의 길인 것이다. 게다가 아들 시신을 찾았다고 해도 육로로 갈 것인지 아님 헬리콥터로 이송할 것인지 등등 그렇게 간단하지 않은 과정들이 남아 있었다.

실종자 엄마를 잡은 손에 온기가 돌아올 때, 팽목항 언덕을 넘어 등대가 멀리 보이고 셀 수 없는 팽목항 천막을 지났다. 천막 넘어 들리는 곡소리는 차고 넘쳐 또다시 내 심장을 깨부수며 온몸이 바싹 언다. 나는 오른팔로 실종자 엄마의 몸을 완전히 끌어모았다. 그 엄마의 다리가 또다시 풀려갔기 때문이었다. 실종자 아빠가 함께 부축해 주면 좋겠다는 생각을 0.1초 했지만 대부분 그만한 여력이 없던 것을 봐왔기에 애써 걸음을 이어갔다.

천막 앞에서 실종자가족 신원을 확인 받고 관계자가 이후 진행될 상황을 전해 드리는 순간 그 엄마는 내 몸을 놓지 않고 당기는 상황이 벌어졌다. 나는 작은 목소리로 "함께 들어가진 못해요." 라고 말하고, 현장 관계자도 다급히 와서 제지했다. 내가 팔을 놓으려고 하자 그 엄마는 "우리 다같이 가족인데 왜 함께 못 들어가게 하냐?"면서 느닷없이 큰 소리로 말했다. 현장 관계자가 잠시 머뭇거리는 순간 실종자 아빠가 앞장서 양팔을 벌리시면서 함께 들어가자는 눈빛을 내게 주시고, 실종자 엄마는 내 몸에 바싹 기댄 채 우리들은 이미 천막 안으로 들어가고 있었다.

이게 웬일인가? 이렇게까지? 실종자 엄마를 부축했던 내 몸이 후들거렸다. 갑자기 숨이 쉬어지질 않았다. 그 순간 실종자 엄마는 뛰어가 아들의 퉁퉁 불어터진 얼굴과 시신 앞에서 탯줄의 말이 끊긴 채 아이고 아이고, 실종자 아빠는 팽목항 천막 안에 누워 있는 아들의 얼굴이 어디 하나 제 모양이 아닌 모습을 보며 괴성을 지르고 맨손으로 땅을 친다.

나는 정신을 다잡고 실종자가족 분들의 안정을 위해 옆에서 안아주고 눈물을 닦아주는 수밖에 없었다. 함께 돌아오는 길에 그 엄마는 내 손을 잡고 "이렇게 손 꼭 잡아주고 곁에 있어줘서 너무 감사해요. 영영 내 아들을 찾지도 못할 뻔했는데 아들 얼굴이라도 볼 수 있고 찾을 수 있게 해 줘서 감사해요." 라고 했다. 기적처럼 살아서 돌아온 아들도 아니고 더욱이 멋진 아들 얼굴도 아닌 퉁퉁 불어 가늠조차 어려운 아들의 얼굴을 보고도, 분통한 마음을 다잡아야만 했던 부모의 심정을 국민들어 어찌 다 알까? 차마 깊이 꺼낼 수조차 없는 짓눌린 공기만 감돌았다.

그 실종자가족은 장례를 위해 급히 경기도 안산을 향해 떠났다. 실종자가족은 그 순간부터 세월호 유가족이라는 다른 이름으로 삶의 방향이 일체 달라질 것이다.

이 세상 태어나 처음 불러준 이름, 그 아들자식의 이름을 생전에 부르듯 더 이상 부를 수 없게 되어 버린 순간, 아들은 고인(故人)이고 가족들은 평생 세월호 유가족이란 이름으로 살아갈 수밖에 없는 출발점과 경계선이었다.

사실 이름의 다름은 같은 날, 같은 시간, 같은 배에 승선했다는 것이 총체적 사실이고 총체적 진실이다. 그러나 시신을 찾지 못한 실종자와 시신을 찾은 유가족은 또 다른 이름의 형태로 분류되는 시점이 생기면서 이면적인 인간의 본성이 더욱 크게 도드라지는 경계의 변곡점으로 변환된다. 훗날 이런 변곡점은 가족들 간 돌아올 수 없는 강을 건너게 되는 현실로 나타났고, 10년이 다 되어가는 지금도 크게 달라진 것 없이 진행되고 있다.

국가로부터 빼앗긴 생명의 이름은 자본주의의 함정을 자처한 권력과 음모와 계략들로 국민을 우롱하고 조롱하는 가운데 희생된 이름인 것이다.

생명의 무게와 기관총 소리

　　태풍이 지난 어느 날 현실은 냉혹했다. 처음엔 실종자 누구라도 시신을 찾아 장례식을 준비하면 함께 따라가지는 못해도, 진도실내체육관에서 만큼은 서로의 등을 토닥여 주거나 안아주면서 때론 간단한 악수라도 하면서 어색한 위로와 배웅을 나눴다.

　　이에 먼저 떠나는 실종자가족들은 내심 다행이라 생각하면서도 남은 실종자가족 분들에겐 미안한 마음에 고개도 못 들고 가능한 부딪치지 않는 방향으로 걸어 다녔다. 어느 날 진도실내체육관 모퉁이를 돌아가는데 어떤 실종자가족 분들끼리의 대화를 본의 아니게 듣게 되었다.

　　"아니 딸내미 찾았으면 어서 갈 것이지 왜 안 가고 저러고 있어? 벌써 다른 실종자가족들은 어젯밤 떠났는데."

"그러게 말이야. 자꾸 눈에 띄고."

나는 쫓기듯 뒤돌아 모퉁이를 벗어났다. 마음이 착잡했지만 그분들의 심정을 비난하거나 폄하할 수도 없었다. 입장 바꿔 생각해보면 누가 성인군자처럼 요구할 것인가? 세월호가 침몰될 당시만 해도 생명의 무게는 동일했다. 실종자의 이름으로 말이다. 그러나 이름이 실종자일 뿐이지 그 생명의 무게가 같지는 않았다.

수학여행을 떠난 어린 학생들이 수백 명 사망했다는 소식에 온 국민이 충격 받고 슬픔에 빠진 것은 분명한 사실이다. 생명의 본질과 평등의 무게가 시간이 지나 달이 바뀌고 실종자가족이 유가족의 위치로 바뀌면서, 한 명, 열 명, 삼십 명, 점차 더 많아질수록 우려했던 것이 현실로 이동되었다. 팽목항에서 수십 명이 한꺼번에 나오기도 하는 날이면 남은 실종자가족들은 극도로 날카로워져, 진도실내체육관은 당장 뭔 일이 일어나도 이상하지 않을 만큼 불안전한 공기가 가득했다.

초창기엔 실종자를 찾으면 "장례만 치르고 올게요." 라고 했다. 남겨진 실종자가족들은 말을 잇지 못하고 눈물을 꾹꾹 눌러 내리면서 "고마워요. 몸 좀 추스르고 괜찮으면 한번 얼굴이라도 보게 내려와 주면 우리들이야 감사하죠." 라고 했었다. 정말 눈물 없인 볼 수 없는 이별 아닌 이별의 현장들이 진행되었다.

그런데 어떤 유가족이 정말 장례만 마치고 진도실내체육관을 다시 찾은 것이었다. 처음엔 남겨진 실종자가족 분들도 고맙게 인사하고 악수도 하고 껴안기도 했다. 그러나 인간의 본성은 본래 평등하지 않은 것인지 아님 평등을 자처하지 않는 인간이 정상인지 대체 모를 정도로, 똑같은 재난현장의 실종자가족들이였음에도 실종자가족과 유가족이라는 이름과 위치가 전환된 시점부터 그들 간의 전쟁은 정서적 재난이라 할만큼 매우 괴이한 시간들로 연속되고 확장되었다.

사실 자식과 가족이 하루아침에 비명횡사했다는 소식을 듣고 낯선 땅 이곳 진도까지 달려왔어도 찾기는커녕, 희망이 없는 상황 속에 오직 기적을 믿고 하루하루 피 말리며 링거에 의존해 연명하는 부모나 가족의 심정을 어찌 세치 혀에 담을 수 있을까? 그렇게 실종자가족 분들의 숫자보다 유가족의 숫자가 더 많아져 기울기가 처진 날들이 지속되고, 뒤늦게나마 자식과 가족을 찾아 장례 준비하러 올라가는 유가족 분들에게 위로를 하는 것조차 내놓고 말하지 못하고 잘 가시라는 인사도 때론 숨어서 해야 했다.

어느 날 내게 누군가 조심스러운 목소리로 인사를 한다. 깜짝 놀랐다. 주변을 재빨리 살폈다. 유가족(시현아빠/가명)이다. 그런데 그분은 오른손 집게손가락을 입술 위에 갖다 대면서 '쉿'

하는 소리를 작게 내쉬셨다. "어떻게 오셨어요?" 여쭈었더니 그분은 "유가족들이 이곳을 떠날 때는 장례 마치고 당장 내려와 함께해 준다는 말들을 하고는 결국엔 손가락 꼽을 정도도 안 되게 잠깐 왔다 가고 대부분은 이곳을 찾지 않는다." 라는 말을 들었다고 말씀하신다.

나 역시 너무나 잘 알고 쓰라린 말이다. 그러나 자식과 가족의 시신을 찾아 떠난 유가족분들의 심경도 이해되고, 여전히 찾지 못해 남은 실종자가족들의 입장도 뼈저릴 만큼 느낀 통증들이기에 그분에게 전할 말이 딱히 없었다. 왜냐면 유가족이 두 번도 뒤돌아보고 싶지 않을 이곳에 오신다는 것이 얼마나 고통스런 일인지 짐짓 알기에 "이렇게 용기 내 와 주셔서 너무 감사해요. 바로 올라가실 건가요?" 라고 여쭈었다. 그분은 "아니요…." 라고 말씀하셔서 나는 기다렸다는 듯 "그럼 우선 식사부터 하셔야죠." 라고 동행을 했다.

세월호 침몰현장 즉, 진도군 조도면 병풍도 선상바지 현장에서 민간잠수사들의 손끝으로 실종자의 시신을 찾아 진도군 팽목항으로 운구하면 임시천막이 마련된 곳으로 이운된 후, 종교별 임시천막에서 간략한 의식과 절차를 밟았다. 그리고 실종자의 시신은 119 구급차로 실종자가족과 함께 진도실내체육관으로 이동했고, 대기하고 있던 헬리콥터는 잠시 후 실종자의 시신과 가족을 태우고 전국 장례식장 인근을 향해 날아갔다.

헬리콥터 엔진 소리가 들리면 진도실내체육관 옆 운동장 앞으로 미친 듯 뛰쳐나가 두 손을 가슴 앞에 모으면서 양손가락을 꽉 쥐고, 국가와 정부의 배신 앞에 힘없는 눈물로 항변하거나 다른 구석에서 등 돌려 고개를 파묻고 울었다. 당시 관계자들은 팽목항에서 운구된 시신을 이동하기 위해 준비된 기구들을 정리하고 또다시 팽목항으로 가서 한시라도 시신을 빨리 운구해야 했기 때문에, 서둘러 마무리하는 모습을 보는 것조차 망연자실할 정도로 긴박했고, 또다시 누군가의 이름이 바뀌는 변환점이 기다리고 시작되는 경계선에서 재난현장의 참혹한 현상을 보고 들어야 하는 것은 혹독한 시련이었다.

처음엔 헬리콥터 소리가 왜 들리는지 깜짝 놀랐다. 사실 일반인들은 영화나 드라마의 특별한 장면 연출을 위해 과감한 제작비를 들여 출동되는 경우이거나 간혹 뉴스에서나 보게 되지 않는가.

어떤 여성은 헬리콥터 운전자격증을 따서 직접 조종을 하는 세상이 존재한다. 영화 속엔 비행기 안에서 테러범들이 조종사들을 향해 총을 겨누고 협박하는 과정에서 헬리콥터를 운전해본 여성이 몇 명의 승객과 협업한 작전을 비밀리에 성공시키거나, 그 여성이 처음으로 조작해야 하는 낯선 비행기의 수많은 버튼들을 누를 때마다 식은땀을 흘리게 되는 장면들이 있다. 모두 영화적 긴장과 스릴로 즐길 수 있는 상황이다.

그러나 진도실내체육관 옆 운동장에서 뜨고 내리는 헬리콥터 소리는 전혀 달랐다. 그 이후 귀에 닿는 헬리콥터 소리는 지금도 심장에 박힌 기관총이다.

쪽잠과 100일의 특별식

　　　진도실내체육관엔 임시 천막과 1톤 트럭 등이
줄지어 있었고, 외부 기관단체 또는 개인이 마련해 준 천막식당
에서 식사했다. 그나마 실종자가족들과 유가족들이 유일하게
몇 걸음씩 걸을 수 있는 시간이었다. 그 덕분에 실종자가족들과
유가족들의 얼굴을 익힐 수 있었다. 임시천막엔 전국에서 달려
온 단체와 개인들이 있었는데, 먼저 적십자 천막은 단위가 크고
구호물품 물량도 많아 모든 사람들에게 따뜻한 밥과 국을 떨어
지지 않게 마련해 늘 북적였다. 훗날 대한민국이 법적으로 정한
6개월을 꽉 채운 봉사단체이다.

　대한불교조계종 긴급구호재난봉사대는 인근 절 비구니스님
이 소임 보면서 죽을 만들어 주면, 봉사자들이 일회용 용기에
담아 진도실내체육관으로 이동해 가족들을 찾아가 전달해 주었
고, 천막엔 간단한 구호물품과 앞서 말씀드렸듯 전국에서 오신

스님들과 간단한 법회를 진행하거나 환담하면서 가끔은 실종자 가족이나 유가족이 다녀가는 공간이었다. 또한 진도군에서 마련한 봉사단체 임시천막엔 구호물품이 다른 곳보다는 항상 여유가 있었고, 서로 맛있는 메뉴를 겹치지 않도록 준비했다.

대한불교조계종 긴급구호재난봉사대를 총괄적으로 관리한 담당스님과 기획했던 사회복지재단 최종환 국장님, 주민정과 그외 직원들은 매순간 진심을 다했다. 사실 그 시점엔 쪽잠 자면서 밤늦게까지 바빴다. 그렇게 사회복지재단을 대표해 내려온 국장님과 직원들은 어느 순간부터 몇 조로 나누고 날짜를 지정해 서울과 진도를 오갔다.

특히 모든 일 뒤로 하고 하루, 3일, 봉사하러 온 분들을 보면 그 어떤 말도 아깝지 않을 정도로 따뜻한 선행에 감사하고 잊지 않고 있다. 우리나라는 어떤 재난현장에서도 어느 나라 못지않게 일어설 수 있고 발전할 수 있는 가능성과 확장성이 매우 높다는 것을 알고는 있었지만 더 확신했다. 그동안 수많은 외세침략 속에서 대한민국을 지켰던 것은 권력을 누린 고위층과 양반도 아니고 오로지 양민이었고, 때론 의병의 선봉에 선 스님들이 계셨다. 또한 나라를 잃으면 절대 안 된다는 생각으로 노비신분에도 혁명의 선봉에 섰던 서민들이었다.

나는 홀로 선 자원봉사를 선언하고 왼쪽 가슴에 부착한 명찰을 한 번도 뗀 적 없이 진도실내체육관과 팽목항을 오가면서 봉사하다가 1톤 트럭 식당에 가서 식사를 했다. 짧은 식사 도중 대표님 혼자 수고하는 것이 눈에 들어왔다. "어디서 오셨어요?" 물으셔서 "대전에서 왔어요." 라고 했다.

대표님도 대전에서 왔다면서 다음에 함께 봉사하자는 제안을 했고 나는 한번 생각해 보겠다고 했다. 그분은 세월호 침몰소식을 처음 들었을 때 당장 내려가야 한다는 생각이 들었는데, 혼자 생각만 하다간 출발이 더 늦어져 엄두조차 못 낼 수도 있겠다는 생각에 서둘러 식자재를 준비해 밥차를 이끌고 내려 오셨다고 했다. 그런데 생각보다 준비한 쌀과 식재료들이 며칠 만에 떨어져 당황했다고 했다. 다른 임시 천막식당에선 하루 두 끼만 배식했는데 그분은 하루 세끼와 늦은 밤엔 라면까지 끓여 허기를 달래주었다고 했다. 게다가 잠잘 곳이 없어 트럭에서 쪽잠을 잔다고 했다.

사실 나 역시 자동차 안에서 쪽잠 자면서 봉사를 이어갔기 때문에 그 사정을 누구보다 잘 알고 있었다. 허리 한번, 무릎 한번 피고 자는 게 소원이었다.

나는 세월호 침몰현장 선상바지에서 민간잠수사들이 실종자들을 수색하고 구조하는 일 외에 제일 중요한 것이 음식이지 않을까, 라는 생각에 함께 봉사하기로 결정했다. 어느 날 대표님에게 전화가 왔다. 나 또한 봉사 물품 등 교체할 것들이 있어 대전에 올라온 다음날이었다. 대표님은 대전에서 출발할 날짜가 나왔다고 했다. 이후 대전역 인근에서 만나 대화를 하던 중 그분은 몇 군데 단체에서 후원 받으며 대전에서 밥차를 운영하는 대표임을 정확히 알게 되었다.

그리고 다른 요리사 최병학님과 처음 인사를 나누었는데 각별한 의지가 보였다. 우린 시장 가서 야채, 조리물품, 일회용 그릇, 수저, 젓가락 등을 준비하다 보니 산더미 같은 짐들로 가득 찼다. 밥차 1톤 트럭에 가마솥, 가스통, 가스용 화구 몇 개와 천막, 의자 등 일일이 거론조차 어려울 정도의 짐들을 실어 올리는 것은 보통 일이 아니었다. 그렇게 인근 식당에서 늦은 식사를 하고 우리들은 진도실내체육관으로 출발했고 식사 봉사는 이어졌다. 나는 그렇게 쪽잠을 자면서 진도실내체육관과 팽목항을 번갈아 오갔다.

어느 날 함께 봉사한 대전 최병학 요리사에게 전화했다. 실종자 수색이 장기전으로 지속되어감에 특별식을 준비해 재난환경을 전환해 보는 것은 어떨까? 라는 제안을 했다. 심한 몸살감기, 특별한 사고, 불행 등으로 지칠 때 우선 권하는 것이 밥이었고, 좀 더 색다른 음식이나 상대가 가장 좋아하는 음식으로 기운을 회복할 수 있게 하지 않았던가? 라는 뜻을 전했더니 흔쾌하게 동의했다. 그러나 나와 요리사 둘만으로는 턱없이 부족한 인원이었고, 그 많은 식재료 및 기구들을 마련한다는 것은 말처럼 쉽지 않았다. 그때 최병학 요리사는 함께 장애인 봉사를 하러 가는 선우회 단체에 제안해 보겠다고 했고, 나는 진도실내체육관에서 특별한 음식을 준비하기 위해 필요한 여러 가지 절차를 진행하기에 앞서 실종자가족들에게 먼저 여쭙고 일부 유가족 분들에게도 말씀을 전했더니 "그걸 어떻게 해요?" 라는 말씀들을 하면서 "그렇게 해 주면 너무 고맙지." 라고 했다.

우린 미리 준비했던 상황처럼 일사천리로 진행되었다. 그렇게 재난현장 최고의 봉사팀으로 점점 모양을 갖추었다. 최병학 요리사는 다른 요리사들의 동참을 권하고 함께하면서 모든 재료 및 대형 탑차 등의 섬세한 요건들까지 일괄하는 책임을 맡았고, 나는 재난현장인 진도실내체육관의 전기, 수도 등의 중요한 시설과 필요한 사안을 꼼꼼하게 살펴보고 그에 필요한 식기류와 구호물품 및 세척용 대형 용품과 각종 음료 및 다과까지 모두 준비했다.

재난현장의 날씨는 점점 뜨거워지고 있었기에 메뉴는 팥빙수, 돈가스와 생선가스, 밥과 김치 그리고 샐러드와 음료를 준비하기로 했다. 드디어 진도실내체육관에 대형차량 및 식자재를 대전 선우회에서 준비하고 요리사 4명이 팀으로 결성되었고, 그들 가족과 어린학생까지도 함께 봉사하는 자리로 북적였다. 가마솥은 물론 여러 구호물품 및 식자재와 가스 화구들을 안전하고 신속하게 탑차에서 내려, 진도실내체육관 입구 지정된 장소에 짐들을 내려놓고 전열하는데 처음 만난 요리사들과도 손발이 척척 물 흐르듯 흘러갔다.

나는 돈가스와 팥빙수를 뜨거운 날씨에 신속하게 만들려면 준비가 철저해야 한다는 생각을 하던 중 실종자가족(나인아빠/가명)이 "항상 주는 밥만 얻어먹어 미안한데." 라는 말씀을 최초로 전해주서서 나는 가족 분에게 "쌀이라도 직접 씻어주서서 함께하면 좋지요?" 라고 조심스럽게 여쭈었다. 사실 몇 달이 지나도 딸을 찾지 못해 힘겨워하는 실종자가족과 함께할 수 있다는 것에 너무 놀랐고 봉사 중 마음에 남는 귀중한 시간이었다. 그리고 다른 유가족에 비해 좀 더 적극적인 유가족(세민아빠/가명)과 쌀을 씻어 함께했다.

가족 분들은 그 순간만큼은 하나의 인격체로 살아있는 눈빛과 목소리 그리고 턱선의 움직임과 걸음걸이 등 처음 본 모습들을 보여주셨다. 나는 그 모습이 너무 감동적인 영화의 한 장면이라는 생각에 그 가족 분들에게 양해를 구하고 서둘러 핸드폰에 쌀을 씻고 있는 모습을 찰칵했다. 그토록 뼈아픈 재난현장에서 인간의 내재된 본질적 순진성이 그대로 보였다.

돈가스를 튀겨야 하는 시간이다. 요리사 가족으로 재난현장에 온 어린학생과 아빠 요리사는 준비해 온 돼지고기 위에 계란과 튀김용 가루를 묻히는 순서를 반복해 주었고, 다른 팀은 샐러드를 준비하고, 또 다른 팀은 팥빙수에 들어갈 여러 재료와 위생적인 얼음 및 기계들의 위치를 선정해 준비하느라 여념이 없었다. 나는 유가족(세민아빠/가명)과 함께 커다란 가마솥의 튀김용 기름 온도가 적절할 때를 기다리면서 돈가스 튀길 막바지 재료 준비를 했다.

다행히 태우지도 않고 맛있게 된 돈가스는 정말 노릇하게 잘 튀겨졌고, 모든 가족 분들과 관계자 분들까지 부족하지 않게 특별한 식사를 함께할 수 있었다. 그렇게 동참한 유가족(세민아빠/가명)의 모습은 정말 소년처럼 보이기도 하면서 경상도 사투리 말투와 행동에 힘이 있어 보였다. 적어도 그때 그 순간만큼은 말이다. 팥빙수는 조금 부족했다. 날씨가 덥고 특별식이 이색적이었는지 모두들 좋아하셨다.

세월호 침몰이 발생된 지 벌써 100일이 되어간다. 나 역시 세월호 재난현장에서 이리 뛰고 저리 뛰어다닌 지도 100일이 다 되어 간다는 것이다. 초창기엔 대한불교조계종 사회복지재단 직원들과 두 번 정도 한 방에서 잠을 잤고 그 외로는 대부분 자동차에서 쪽잠을 자거나 모텔을 이용해 씻고 봉사를 이어갔다.

진도실내체육관에서 특별식으로 봉사했던 것이 소문이 났다. 그러나 날씨는 가만있어도 땀이 줄줄 흐를 정도였다. 실종자 시신을 찾았다는 소식은 세월호 침몰현장에서 일체 들리지 않아 애가 타다 못해, 실신 지경의 상황들로 너무 지쳐있고 나 또한 봉사를 해도 그조차 무색하기 그지없을 때였다.

무심코 팽목항 등대를 바라보다가 평범한 일상생활에서 초복

중복 말복 때 보양식을 찾아 먹거나 권하기도 했던 것이 생각났다. 그러나 재난현장인 팽목항 바다를 앞에 두고 과연 무얼 한다는 자체가 큰 무리수 아닐까? 다음날 대전에서 근무하고 있는 최병학 요리사에게 그런 마음을 전했더니, 그 요리사는 쉬는 날 진도 재난현장에 가서 봉사할 생각을 한다고 말했다. 그렇게 우리는 특별식 봉사팀을 이어 만들기로 의기투합했다. 앞전에 함께한 선우회 회원 중 다시 봉사할 수 있는 사람과 새로 참여할 수 있는 요리사를 찾기로 했다. 물론 그 일은 최병학 요리사가 맡기로 하고 메뉴는 함께 의논했다.

나는 오랜 시간 실종자를 찾지 못한 시점에 세월호 침몰현장 민간잠수사들의 체력이 많이 지쳐있을 때니, 실종자 및 유가족 분들을 위해 이열치열 삼계탕으로 특별식을 제안했고 요리사들도 흔쾌히 응했다. 그러나 문제는 그 많은 삼계탕을 끓이려면 엄청 큰 가마솥과 재료들의 양을 준비하는 것이었다. 그렇지만 또다시 미리 준비라도 된 것처럼 일사천리로 진행되었다.

나는 먼저 가족 분들과 소통한 후 침몰현장 선상바지 구호물품 담당자에게 전화해 우리들의 특별식 사안을 소통했더니 너무 놀라 "진짜예요?" 라고 물었다. 이에 민간잠수사 및 88 선상바지 인원과 관계자 그리고 인근 함정 인원까지 소통을 마쳤다. 그리고 팽목항의 전기, 수도 및 위치 선정을 먼저 관계자 분들과 조율해야 했다. 사실 말이 일사천리이지 어떤 것 하나 쉽게 이루어지는 일은 절대 없다는 것을 너무 잘 알기에, 나는 더 침착하게 관계자 분들을 만나 사정도 하고 조언도 구하면서 서로 협의에 협의를 더해갔다. 이후 진도군에 있는 농협마트에 가서 필요한 물품들과 구호물품, 음료 및 다과 등 일일이 수첩에 적어 온 것을 보면서 빠짐없이 구매해 자동차에 실었다. 내 자동차엔 겨우 운전할 수 있는 운전석 좌석만 남았다. 또다시 달려간 팽목항, 뜨거운 햇빛을 가려 줄 천막도 없는 곳에 자리를 잡았다.

세월호 침몰현장 선상바지 식사 시간에 맞춰 준비하는 것이 가장 큰 관건이었고, 그에 따라 침몰현장으로 가는 배 시간을 맞추려면 시간을 나누어 우선순위를 정해야만 했다. 제일 먼저 세월호 침몰현장 선상바지와 88 그리고 함정으로 보내야 하는 수량을 준비하기로 했다. 그 다음은 실종자가족과 유가족들에게 삼계탕을 전달하는 것이었다. 마지막으로는 팽목항과 진도 실내체육관 관계자 분들이었다. 정말 지금 생각해도 그 모든 것을 총괄해 준비하고 이동하면서 안전하게 전달했던, 아찔한 긴장감과 시간을 다투며 발을 동동 구르던 생각이 바로 어제 일처럼 선연하다.

다행히 세월호 침몰현장으로 떠나는 배 시간에 맞춰 준비된 삼계탕을 일일이 아이스박스에 담는 작업을 마칠 무렵 구호물품 담당자 분이 전화로 마지막 확인을 했다. 그렇게 민간잠수사들과 관계자 분들은 물론 옆에 자리한 민간바지선(88)과 좀 떨어진 함정까지 배달을 부탁했다. 그 담당자는 내 브리핑에 놀라움을 금치 못하면서 경쾌한 소리로 화답했다.

훗날 100일 삼계탕은 누구도 생각 못한 일이고, 누구도 하지 않았던 일이고, 누구나 할 수 없었던 일이라는 말씀들을 추억담처럼 전해 들었다. 비록 홀로 선 자원봉사였지만 재난현장에서 봉사에 대한 가치관이나 관점과 방향이 일치했던 것이 우리가 함께 특별식 봉사를 할 수 있었던 가장 중요한 요인이라고 생각한다.

특히 그분들이 오히려 내게 감사하다고 인사를 몇 차례 했을 땐 정말 몸 둘 바를 몰랐다. 대전에서 요리사들이 함께 뜻을 뭉쳐 세월호 재난현장 가서 봉사하고 싶어도 실종자 가족 및 유가족과 전혀 유대관계가 없는 상황이 제일 두렵고 가늠조차 할 수 없는 분위기라 엄두조차 못 냈다고. 그리고 진도실내체육관, 팽목항 등 세월호 침몰현장 선상바지와 민간바지(88) 그리고 함정까지 엄청난 범위를 망라한 정보가 아예 없었던 상황이라 그저 마음으로만 세월호 침몰을 슬퍼했는데, 일반 자원봉사도 아닌 특별식 봉사는 상상도 못하고 까마득한 일이었지만 그 모든 것을 함께할 수 있게 배려해 준 금비단장이 얼마나 감사한지 모른다고. 다만 그동안 세월호 재난현장에서 금비단장이 일구어 놓은 밥상에 너무 편하게 수저를 올려놓아 오히려 죄송하다고 했다.

그후 대전 인근 다른 지역 장애인 관련기관에 가서 함께 봉사하자는 제안을 최병학 요리사가 해 줘서 나는 선우회 회원 몇 명과 몇 가지를 준비해 갔다. 이 또한 함께했기에 더 큰 의미가 있고 많은 것을 배운 정말 고마운 시간이었다. 모든 봉사를 마친 후 저절로 나오는 웃음 속엔 '우리들꽃'이 피었다.

지금도 남다른 봉사로 멋진 삶을 살고 있을 최병학 요리사님과 함께한 요리사 분들에게 봉사를 함께할 수 있어 고맙다는 마음을, 이 지면을 통해 다시 한번 진심으로 전한다. 팽목항의 뜨거운 햇빛도 우리들의 진심과 정성을 녹일 수 없었고, 팽목항 등대와 맹골수도 세월호 부표도 항상 비춰주었음을….

바다에, 자장면 배달왔어요

어느 날 봉사하고 있는데 어떤 실종자가족 분이 "자장면이 생각나네요." 하셨다. 우연히 들었지만 마음속으로 '그래 그렇지. 자장면은 특별한 음식이지.' 생각하다가 자장면이 생각난다고 했던 그 가족분은 자장면에 담긴 추억이나 행복했던 순간이 떠오르지 않았을까 싶었다. 수백 명 실종자들도 40m가 넘는 바다 속에서 뼈 한 점 으스러지지 않도록 안간힘 쓰면서 오직 엄마, 아빠 그리고 가족을 만나기 위해 애태우고 있을 텐데, 자장면 향기라도 맡고 어느 민간잠수사 손끝에 닿아 희망의 결실이 되길 바라는 기도가 생각났다.

자장면은 사회적 공통성과 접근성이 좋으면서 간단한 음식 중 하나로 특별히 기억하는 추억의 음식이나 간식이다.

보통 졸업식을 마치거나 이사하는 날 먹는 것을 보면 특별한 기억, 시간, 공간이 존재해 공감하는 그 무엇이 있다는 것을 알 수 있지 않을까 한다. 그것은 한국의 지리적 특성상 넓지 않은 땅에 살면서 집단적 문화가 저절로 생성되고, 누구도 거리낌 없이 함께 공존하면서 도와주고 위로하며 살았던 행위적 습관들이 형성된 매우 자연스러운 삶의 일부라고 생각한다.

아침저녁 쌀쌀한 바람이 불고 침몰현장 선상바지에선 수색하기에 좋지 않은 환경일 때였다. 정부와 민간잠수사들을 총괄 담당하는 감독님은 더 이상 수색을 끌고 가기가 어려운 시점이고, 실종자가족들은 누구도 믿을 수 없는 배신을 기다릴 수밖에 없는 상황이었다. 나는 마지막일지도 모른다는 절박감으로 시커먼 안개가 철렁 내려앉은 가슴에 별똥별 하나를 보고 기도했다.

당시 마지막이든 아니든 세월호 실종자 수색은 어떤 형태로든 이어져야 한다는 일념 속에, 실종자 수색이 끊기지 말고 길게 이어지라는 연결의 고리가 되는 음식은 자장면이 으뜸이라고 생각했다. 좋은 날엔 국수를 대접하고 그것이 이어져 기쁜 날엔 자장면을 먹을 수 있게 된 문화적 기반이 바탕이 되었다.

그러나 선상바지에서 어떻게 면을 삶아 행구고 다른 식자재들을 준비할 것인가에 대한 난제를 풀어야 했다. 그래서 침몰현장 선상바지에서 근무하는 담당자에게 연락해 금비봉사단의 기획을 전했다. 그러자 "바닷가 한가운데 떠 있는 선상바지에서 가능합니까?" 라고 되물었다. 모든 것은 봉사단에서 준비할 예정이라고 하자 담당자는 내부회의 후 연락하겠다고 했다. 늦은 오후 전화가 왔다. 주방 환경이 열악한 관계로 최대한 육지에서 준비할 수 있는 과정은 모두 준비하고 물품과 기구 수량, 출입 인원, 주민번호, 연락처는 미리 보내줘야 한다고 했다. 우리들은 구상한 기획에 맞추어 특별식 날짜와 배급 시간을 정확하게 명시하고 배급 인원도 담당자와 소통했다.

육지에서 가마솥을 배에 싣고 선상바지 아래로 들어내려야 하는 최대의 과제를 집중할 때 현장에서 전화가 왔다. 담당자는 팽목항에서 타고 오는 배에 가마솥을 싣고 온다고 해도 선상바지와 높이가 동일하지 않아 이동이 불가하다는 내용이었다. 그러나 이대로 포기할 수 없다는 생각에 대안을 마련해 다시 연락하겠다고 했다. 나는 예전에 이삿짐을 재래식 방법으로 운반했던 것이 떠올랐다. 정말 쉽지 않은 도전과 목표를 향해 스템프 찍듯 봉사 지문의 연속성과 확장성은 새로운 길을 만들어가고 있었다. 나는 팽목항에 웬만한 식자재를 준비해 놓고 전기와 수도를 확보한 후 팽목항에 계신 실종자가족 분들을 만나 말씀 드린 후 대전에 도착했다.

다음 날 대전 밥차 대표님과 최병학 요리사를 만났다. 전체적인 계획과 대안을 소통 후 모든 식자재 등을 준비해 자동차에 실어 나르기 바빴고, 내 승용차엔 무릎을 다 피지도 못할 조수석 공간만 남았다. 최병학 요리사는 쪼그리고 앉아 가는데도 열정적인 모습은 행복해 보여 함께 웃었다. 선우회에서 동행하는 요리사들은 다른 승용차를 이용해 우리들은 차량 4대에 나눠 진도 팽목항에 도착하기로 약속했다. 그토록 수십 번을 진도에서 대전으로 오르내렸어도 세월호 재난현장이 있는 진도로 가는 길은 여전히 무거웠다.

차량 4대가 무사히 도착하고 금비봉사단이 팽목항 등대를 바라보는데 처음 참여하는 요리사는 재난현장에 서 있다는 것에 유난히 비통한 슬픔에 잠시 젖는 듯했다. 우리 봉사단은 늘 그랬던 것처럼 팽목항 분향소로 향해 참배하고, 맞은편 컨테이너에 계신 실종자가족들의 안부를 묻고자 내가 준비한 물품을 들고 간단한 인사와 위로의 말씀을 전하고 나왔다. 우린 준비해 온 식자재들을 확인 후 각자 맡은 영역에서 작업이 시작됐다. 각종 야채를 다듬고 크기에 맞게 자르는 일이 보통이 아니었다. 도마 위에 칼질소리가 합창소리로 울려 퍼졌다.

나는 선상바지로 출발할 배 시간을 계속 확인하고 꼼꼼하게 살펴 최종 점검을 마치고 식자재는 물론 봉사단, 팽목항 관계자분들이 함께 회전식 가마솥까지 온전히 수동으로 이동했다. 금비봉사단은 미리 출입자 명단이 신고된 덕분에 모두 차질 없이 배로 승선했다. 나는 먼저 자리를 잡아야 하는 회전식 가마솥을 선두로 자리를 배치하면서 기구들의 배열과 식자재 박스 중 아이스박스와 종이박스를 분류해 정리했다. 팽목항에서 1시간 30분 정도 달리는 바닷길에 빗방울이 내리기 시작했다.

긴장된 순간이다. 회전식 가마솥을 성인키 높이 정도 차이가 나는 배와 선상바지의 간격을 극복하며 어떻게 사고 없이 내릴 수 있을까? 나는 먼저 배에서 선상바지로 내렸다. 왜냐면 모든 식자재 물품과 여러 기구들을 포함해 선상바지 주방으로 이동해야 하는 물품과 선상 외부에서 필요한 물품 등을 받는 즉시 구별해 정리해 놓아야 두 번 일이 안 되기 때문이다. 이후 배 위에선 건장한 남성 5분 정도와 회전식 가마솥 운반 시 유의점을 당부했다. 그러나 생각보다 무겁고 강한 쇠붙이를 옮기는 것은 정말 위험했다. 선상바지와 배 사이가 벌어진 공간에 수직으로 회전식 가마솥을 하강시킨다는 것은 초집중은 물론 정확한 예측에 가까운 계산이 필요했다.

지금 생각해도 아찔하고 위험한 순간이었지만 한마음으로 환호의 소리를 내면서 성공했다. 서로의 수고가 얼마나 고단하고 멋진 것을 알기에 누가 먼저랄 것 없이 등과 어깨를 툭 툭 두드려주고 옆에서 지켜봐 준 관계자 분들은 박수를 보내주었다. 나는 세월호 봉사 중 가장 멋지고 아름다운 모습으로 가슴 깊이 간직하고 있다.

서둘러 구호물품 담당자 분은 봉사단의 신원을 파악하고 인사를 나눈 뒤 주방부터 안내했다. 이후 회전식 가마솥이 자리 잡은 선상외부에서 유의사항을 당부했다. 따라서 봉사단이 사용 가능한 동선을 알려주고 특별히 당부했다. 왜냐면 선상바지의 길이와 폭이 크고 넓어 뛰어도 먼 곳이지만, 특히 조류에 맞춰 조를 짜서 실종자 수중수색 구조하는 민간잠수사와 관계자 분들에게 신경 쓰게 하는 일이 절대 일어나선 안 되기 때문이었다. 나는 회전식 가마솥 위치를 점검한 후 나머지는 요리사 분들에게 맡겨 놓고 주방으로 가서 식자재를 분리해 요리를 시작하면서 자장면 배급할 때 겹치지 않는 동선도 미리 지정했다. 그리고 구호물품 담당자 분에겐 주방 안에 마련된 식탁과 의자가 적어 한꺼번에 배식하면 안전도 여의치 않고 면이 불어 맛이 떨어질 수 있으니, 민간잠수사를 제외한 나머지 관계자 분들은 식사 시간의 차이를 두고 배치해 주길 요청했다.

잘 볶은 자장면의 향기는 선상바지의 바람을 타고 세월호 침몰현장 병풍도에 흩날리고 있었다.

너무 바빴지만 가장 먼저 세월호 실종자 10명의 자장면을 준비해 선상 앞 한가운데로 이동하고 실종자들 이름들을 새기며 자장면 10그릇을 정성스럽게 쟁반에 받쳐 조심해 한 걸음씩 걸었다. 드디어 실종자의 이름을 한 명씩 크게 부르면서 자장면 하나를 놓고 또다시 이름을 부르고 자장면 한 그릇씩 놓았다. 그렇게 실종자 10명의 이름을 부르고 10그릇의 자장면 앞에서 두 손을 가슴 앞에 모아 간절한 기도를 올렸다. 몇 달 동안 한 명의 실종자도 찾지 못해 애가 탈 때였기에 제발 단 한 명이라도 가족의 품으로 돌아올 수 있게 정성을 다했다.

다행히 모든 배식이 안전하게 이루어졌다. 모두 입맛이 없었는데 잘 먹었다고, 자장면을 바다 위 선상바지에서 먹을 줄 꿈에도 생각 못했다고, 정말 세상 어디에도 없는 맛이었다고, 자장면도 먹었으니 금비단장 소원대로 제발 단 한 명이라도 실종자를 찾으면 우리도 정말 여한이 없겠다고 말씀해 주셔서 너무 감사하고 울컥했다. 우리들은 잠시 말을 잊지 못했다.

선상바지에서 다시 팽목항으로 가는 배 시간이 얼마 남지 않아 다급해진 금비봉사단은 각자 맡은 위치로 해산해 주방과 회전식 가마솥을 정리해 짐을 꾸렸다. 그런데 참 이상하다. 회전식 가마솥의 무게는 분명 줄지 않았고 게다가 이번엔 낮은 선상바지에서 높은 배로 올리는 더 위험한 이동인데, 모두 밝은 얼굴로 그것도 번쩍 들어 올린 것처럼 착각할 정도로 회전식 가마솥은 기세당당하게 자리를 벌써 잡고 있었다. 구호물품은 다 소비한 상황이고 기구들만 있어 갑판 위에 자리가 넉넉했다. 비로소 묵직한 마음이 좀 가벼워졌다.

점점 더 멀어지는 병풍도를 바라보며 나는 맹골수도에서 단 한 명이라도 찾기를 염원한 나의 기도가 하늘에 닿는다면 마음속에 제일 먼저 떠오르는 한 명이 있었다.

제2부
재난의 시대

간절함이란

        세월호 침몰 초창기부터 쭉 지켜보았지만 단 한 번도 흐트러짐 없이 여의치 않은 환경 속에서도 규칙적으로 행하는 루틴이 있었다. 화내고 찡그리는 것을 본 적 없던 실종자 엄마(황지현 학생)는 조용하시고 중심이 뚜렷해 보였다.

  사실 어느 가족인들 이런 말도 안 되는 재난현장 아니면 울분을 토할 일이 있을까? 지현 엄마와 우연히 마주한 날이었다. 나는 팽목항에 일찍 도착해 등대로 걸어가고 있었다. 그런데 얼마 안 되어 그분이 손에 큰 가방을 들고 걸어왔다. 항상 뵈었던 실종자가족이지만 팽목항에서 단 둘이 마주한 것은 처음이었다. 나는 "어머님, 일찍 오셨네요." 라고 인사를 드렸더니 짧고 힘없이 "네" 라고 하며 큰 가방에서 무언가를 꺼내고 계셨다. 임시식당에서 본 그릇에 밥과 국, 반찬을 담아 온 도시락이었다. 나는 말을 아끼고 뒷걸음 하는데 지현 엄마는 "배고파서 못 나오나 싶어서요. 밥이라도 먹고 나오라고." 혼잣말 하듯 나지막하게 말씀하셨다. 순간 두 발짝 뒤로 더 물러나 가슴 앞에 두 손을 모아 기도했다.

나는 진도실내체육관에서 아침 일찍 어디론가 길을 떠나는 지현 엄마의 모습을 보고 처음엔 의아했다. 그런데 다른 실종자 가족 분이 말씀해 주셔서 알게 되었다. 대단한 정성이라고 감탄했다. 내 집 살림도 아니고 애끓는 날들을 하루도 빠지지 않고 고통스런 팽목항길을 왕복한다는 것은, 그 누가 유별나다고 할지라도 내 마음은 온통 간절한 기도로 응원하는 시간들이었다. 팽목항에서 우연히 마주한 이후엔 한시도 그 엄마의 모습을 잊은 적 없고 더 애틋한 마음을 담아 언제 어느 곳에서도 간절한 기도를 했다. '맹골수도야 너는 다 보았을 텐데…, 그 어머님의 정성을 봐서라도…, 단 한 명밖에 찾을 수 없다면, 꼭 꼭 병풍도야!'

침몰현장에서 민간잠수사와 기구들을 이용한 실종자 수중수색구조는 전문가의 의견과 실종자가족들의 의견을 최우선으로 했고, 세월호 배라는 큰 틀의 공간은 동일해도 실종자들이 최종적으로 머물렀던 장소가 다 달랐기에 민간잠수사가 진입할 수 있는 적절한 공간과 시야가 확보되는 것이 가장 큰 관건이었다. 그만큼 조류와 날씨에 따라 세밀한 조건들이 다 똑같을 수 없어 예민한 시안이기도 했다.

사실 실종자가족들끼리도 누가 더 강력하고 적극적인 항변을 계속하는지에 따라 실종자를 몇 회 더 수색하고 다른 경로를 추가해 수색하는 일들이 반복되어 가족들 간의 심기가 불편한 적이 많았다. 왜냐면 그만큼 다른 실종자를 수색하는 여러 사안들이 변경되거나 보류되기 때문인 것이다. 이에 다른 실종자가족들은 내 자식만 찾아달라고 끝없이 애원하고 더한 주장을 하고 싶어도, 현장에서 일일이 맞서 싸울 수 없어 참기를 반복하면서 마음을 낮추고 인내하며 지켜보기도 했다.

나는 침몰현장 선상바지에 다녀온 지 이틀 째 되던 날, 조류 때문에 마지막일 지도 모른다는 긴박한 마음에 다른 일이 전혀 손에 잡히질 않은 채, 단 한 명이라도 찾아야 한다는 간절한 마음만 더해졌다. 결국 모든 것을 뒤로하고 진도 재난현장으로 출발할 준비를 했다. 민간잠수사 분들에게 필요한 것을 구입한 후 늦은 밤 진도에 도착했다.

다음날 이른 아침 지난 이틀 동안 별다른 일은 없는지 실종자가족 분들 얼굴도 뵐 겸 진도실내체육관을 다시 찾았는데 컨테이너 임시식당에 계신 지현 엄마를 만났다. 나는 "일찍 나오셨네요?" 라고 인사했다. 보통 말씀이 거의 없는 분인데 "일찍 왔네요." 라는 답변에 나는 "오늘 일찍 팽목항 가서 선상바지로 들어가는 약속이 되어 있어요." 라고 말씀드렸다. 엄마는 "아 그래요. 그럼 얼른 이리 들어오세요." 라고 하셔서 무슨 일인데요?

라는 눈빛으로 임시식당으로 들어서자 "오늘이 지현이 생일이에요." 라고 말씀하셨다. 나는 "아, 그렇군요." 말을 흐리는데 지현 엄마의 슬픔 가득한 양볼이 눈에 들어왔다. 그날 미역국은 간절했다.

서둘러 도착한 팽목항 부두에서 배를 타고 이틀 만에 또다시 세월호 침몰현장 선상바지로 향한다. 사실은 전날 밤 세월호 침몰현장 선상바지에서 수색하던 민간잠수사가 실종자로 추정되는 여성의 시신을 발견했다는 언론보도를 보았다. 너무 감사한 순간이라 넋을 잃었을 정도였다. 왜냐면 여러 조류 상황으로 인해 더 이상 수색이 어렵다는 것을 끌고 끌어 쥐어짠 시간을 너무 잘 알고 있었기 때문이었다. 그런데 갑자기 떠올랐다. 항상 마음속으로 간절하게 기도했던 그 실종자가 아닐까? 실종자가 여성이면 여학생이거나 일반인(여)으로 추정할 수 있는데 말이다. 그런데 나는 왜 그 실종자가족 지현 엄마만 떠오르는지 알 길이 없었다. 그럼에도 당장 남자 실종자가족들이 얼마나 괴로워할지 안 봐도 눈에 선해 한편으론 찢어지는 마음이었다. 그렇다고 일편단심으로 염원한 기도를 놓을 순 없었다.

선상바지에 도착하자마자 급한 인사를 마치고 준비한 구호물품을 전하고 민간잠수사들이 수색하는 현장을 방해하지 않을 정도의 위치, 담당자 분이 선정해 준 그곳을 오가며 대전에서 준비해 온 물품과 짐들을 풀어 과일, 초코파이 등을 이동시켰다.

그리고 선상바지 바닥에 준비해 간 깨끗한 흰 종이를 펼쳐 놓으려 하는데 마침 관계자 분께서 물끄러미 보시더니 어디선가 탁자를 직접 끌고 오셨다. 생각지 못한 선의에 감사했다. 이어 서두르고 있는 나를 본 관계자 분은 자처해 잠깐 도와주셨다.

덕분에 재빨리 탁자 위에 깨끗한 흰 종이를 깔고 준비해 온 과일과 몇 가지를 더 올려놓았다. 나는 오늘이 생일인 실종자 지현 학생을 꼭 찾을 수 있길 기원하는 마음을 담아 초코파이 케익 위에 생일 초 하나를 올려놓았다. 그 엄마를 대신해 불을 붙이고 두 손을 정성스럽게 모아 온몸을 세월호 침몰현장 앞에 구부려 간절한 기도를 했다. 나중에 들은 이야기인데 내가 진심으로 기도하는 것을 보고 정부 관계자 몇 분과 마침 주변에 있던 민간잠수사들도 뒤에서 기도를 함께했다고 했다.

잠시 물 한 모금 마시고 재빨리 민간잠수사들에게 과일 먼저 전하고 초코파이를 돌리려 하는데 지금 당장 급히 할 것이 있어 그것을 먼저 해야 한다는 민간잠수사들 간의 말을 들었다. 나는 "그 일이 뭔데요?" 라고 물었다. "수중수색 후 실종자를 구조하다가 문제가 생겨 잠시 후 다시 입수해야 하는데요, 이것을 당장 만들어야 그 실종자분을 안전하게 모시고 나올 수 있어서 서둘러야 한다." 라고 말했다. 얼음이 되었다. 나는 바짝 마른 입술을 떨면서 "이 안에 그 실종자를 모신다는 건가요?" 라고 재차 물었더니 민간잠수사들은 똑같이 "네" 라고 답했다.

나는 민간잠수사 분들이 하는 것을 유심히 보았다. 그러던 중 어제 실종자로 추정되는 그분을 수중수색까지 해서 시신을 확인했는데 실패했던 것은 다른 기술이 부족한 게 아니고, 시신을 운반하기 위한 소품에 문제가 생겨 팽목항 인근 상가를 뒤져 적합한 것을 찾아 마련하는 과정을 듣게 되었다. 그런데 중요한 것은 입수 시간이 얼마 남지 않아 빨리 작업해야 한다고 했다. 나는 용기를 냈다. "혹시 제가 직접 해도 괜찮으면 빠른 시간에 더 꼼꼼한 바느질 작업을 마칠 수 있다." 고 말했다. 그런데 믿겨지지 않는 말을 들었다. "그럼 빨리 와서 함께해요." 라는 것이다. 마음은 너무 떨렸지만 손끝은 야무지고 빠르게 바느질을 이어갔다.

육지 같으면 잘 다듬어진 기구나 구조물을 이용할 수 있지만 수심 40m도 넘는 바닷속 깊은 곳에 침몰된 세월호는 한 치 앞도 잘 보이지 않는 열악한 환경은 물론, 초인적인 잠수사 손끝의 감각으로 감지해야만 하는 혹독한 운명이었다. 그럼에도 실종자 한 명이라도 더 찾아 가족의 품으로 돌려준다는 사명감 하나로 견디면서 말없이 감당해야만 하는 순간들이었던 것을 누구보다도 옆에서 보고 잘 알고 있는 나는 민간잠수사들의 헌신에 만감이 교차했다.

나는 손끝으로는 바느질을 하고 있었지만 마음속으로는 실종자가 지현 학생이길 바라는 마음 간절했다. 그런데 바느질을 하면 할수록 왠지 마음이 점점 편안해졌다. 거짓말처럼 실종자가 그 엄마 곁으로 올 것 같은 마음의 띠가 짙어졌다. 드디어 긴장한 민간잠수사들의 입수가 시작되었다.

나는 민간잠수사들의 수중수색을 총괄하는 감독님의 배려로 모니터를 볼 수 있게 되었다. 그렇게 감독님이 무전기를 이용해 민간잠수사들에게 수시로 지침을 보내고 모니터를 보면서 유의사항을 전하는 피 말리는 수색의 구조현장을 볼 수 있었다. 사실 초창기엔 엄청나게 예민한 상황이었기에 실종자, 유가족 외엔 누구도 허용하지 않았던 일이었다. 그러나 실종자가족과 유가족들이 합의할 땐 모니터를 중심으로 두고 옹기종기 모인 틈새에서 까치발을 들고 주시한 적이 있었다.

좀전에 바느질했던 그 톤 백에 민간잠수사들은 실종자를 놓치지 않고 잘 모시고 바다 위로 올라왔다. 너무 감격스러워 말을 잇지 못했다. 벅찬 감정을 억누르고 있는 사이 선상바지는 서둘러 그 다음 시스템을 위해 더 분주해진다. 나는 팽목항을 향해 출발하기 위해 배를 탔어도 한동안 말을 잇지 못하고 세월호 침몰현장 앞에 우뚝 서 있는 병풍도만 바라보았다. 포기하지 않는 희망의 끈을 잡기 위해 선물처럼 단 한 명이라도 찾을 수 있기를 하늘과 바다를 바라보며 미치도록 간절한 기도를 했었는데…, 가슴속에서 뜨거움이 밀려왔다.

실종자가 정확하게 누구인지 발표가 안 되었다. 심장 뛰는 속도가 빨라지며 팽목항과 진도실내체육관을 오가던 사이 실종자의 신분이 밝혀졌다. 경기도 안산시 단원고등학교 황지현 학생이라고 발표한다. 나의 모든 근육들은 22,28km를 완주한 것처럼 팽창되었다. 나는 두 손을 모은 채 하늘과 바다 그리고 병풍도를 바라보며 감사의 기도를 했다.

다른 실종자가족들에게는 잔인한 시간이지만 나는 분명 이것이 마지막이 아니고 남은 실종자를 찾기 위해 희망의 끈을 부여잡을 수 있는 단초가 되기를, 또다시 간절한 기도의 이름을 불렀다. 그 이름은 단원고 남현철 학생과 조은화 학생이었다. 이어 42,195km를 완주하기로 깊은 약속을 했다. 남은 실종자 이름은 그 뒤로 잇기로 했다.

지현 학생의 부모를 내 승용차에 모시고 팽목항을 가는데 우리는 그 어떤 말조차 먹먹했다. 그토록 기다리고 바라던 일이었는데 말이다. 사실 실종자 부모님들은 내가 그토록 딸을 찾는 간절한 기도를 염원한지 전혀 모르고 있었고 끝까지 어떤 말도 한 적 없다. 그렇게 우리는 몇 마디의 말만 나누면서 팽목항에 도착했다. 세월호 침몰현장 선상바지에서 이동해 도착한 실종자는 119 차량으로 옮겨져 팽목항 분향소 뒤 도로 입구 인근에 위치한 임시천막으로 다시 이동했다.

실종자 시신은 가족이 입회된 상황에서 관계자 몇 분과 함께 시신을 확인하는 매우 중요한 절차가 진행된다. 그 다음엔 실종자가 생전에 종교가 있어 신앙생활을 했거나 아님 부모나 가족의 종교에 따라 종교적 의식을 간단하게 한다. 지현 학생의 부모님은 종교가 불교여서 불교적 의식을 행했다. 나 역시 그 의식에 동참했는데 남다른 감회와 감사함에 의식이 진행되는 내내 벅차오르는 마음은, 남은 실종자를 찾을 수 있는 희망의 인연으로 이어, 실종자가족들에게 끝까지 봉사하고 기도하겠다는 다짐과 약속을 묵묵히 했다.

종교의식을 마치고 우린 서둘러 팽목항을 떠나야만 했다. 진도실내체육관으로 이동 후 미리 대기하고 있는 헬리콥터에 지현 학생과 아빠가 탑승해 안산 장례식장 인근에 도착해야만 했기 때문이다. 나는 재빨리 시동을 걸고 실종자 부모님을 모시고 팽목항을 출발했다. 실종자 부모님은 딸의 시신을 확인하러 팽목항으로 갈 때마다 긴장감은 낮아졌지만, 오히려 더한 슬픔과 비통함으로 여전히 초겨울 앞둔 바람처럼 쓸쓸했다.

지현 엄마와 몇 마디를 나누는 중 내게 "고마워요." 라는 말씀을 하셨다. 나는 잘못 들었나 싶을 정도로 깜짝 놀랐다. 왜냐면 오랜 기간 세월호 자원봉사를 하면서 유가족이든 실종자가족이든 고맙다, 감사하다, 라는 말을 들어 본 적이 흔치 않았기 때문이다. 지현 엄마는 팽목항으로 도시락을 싸들고 가면서 애태웠던 말씀을 잠시 하셨는데 뭐라 표현하기 어려울 정도로 울컥했다.

지현 아빠는 서둘러 헬리콥터로 이동을 해야 했기에 남은 실종자가족 분들과 관계자 분들 앞에 죄인의 모습으로 일일이 짧은 인사를 할 수밖에 없는 잔인한 시간들이 었다. 귓가에 쟁쟁했던 기관총 소리가 들려왔다.

기다렸다는 듯 지현 아빠는 진도실내체육관 옆에 마련된 운동장으로 뛰어가고 있다. 이미 헬리콥터 내부로 이송된 지현 학생과 함께하는 마지막 여행인 것이다. 나는 오른팔을 높이 들어 올려 황지현 학생이 희망의 끈을 이어 남은 실종자를 찾을 수 있길, 결코 잊지 말고 기억해 달라는 간절한 마음을 하늘 구름과 바람에 지장을 찍어 새겼다.

나는 재빨리 진도실내체육관 입구를 향해 전력질주 했다. 지현 엄마를 배웅하기 위해서다. 사실 그 엄마는 헬리콥터를 타고 딸과 함께 가는 길을 택할 수 없었다. 신체적으로 너무 힘겨운 상황과 개인적인 이유로 다른 승용차를 타고 출발 준비를 하고 있었다. 지현 엄마는 조수석의 창문을 내리면서 나를 향해 "고마워요." 라는 말씀을 재차 하셨다. 나는 그 엄마의 손을 잡고 말 대신 몇 번을 비비다가 반쯤 조수석 안으로 들어가 엄마를 끌어안았고, 그렇게 우린 서로의 등을 토닥토닥 하면서 세월호 재난현장 진도실내체육관 입구에서 마지막 이별을 했다.

간절함이란, 간절한 만큼 몰입하고, 간절한 만큼 침묵하고, 간절한 만큼 행동하고, 간절함 이상으로 기도하는 것. 이것만이 진리라고 생각한다.

기자회견

      2014년 11월 11일 실종자 수중수색중단을 요청하는 기자회견이 진도실내체육관에서 있었다. 훗날 실종자가족들이 피멍든 시작점이다. 왜냐면 대한민국 역사에 단 한 번도 없었던 새로운 전쟁의 시점이기도 했기 때문이다.

    기자회견이 끝난 후 실종자가족 중 어떤 분에게 물었다. 정부에게 무슨 약속을 받아낸 것인지? 세월호 인양 약속은 받은 것인지? 그러나 아무것도 들을 수 없었다. 통탄을 금할 길 없었다. 나는 그토록 중요한 사안을 협의도 하지 않은 채 덜컥 수색중단 발표를 하면 지금까지 험한 욕 다 듣고 견딘 의미가 무엇인가? 아연했다.

    막강한 기세로 형성되는 세 자리 숫자의 유가족 앞에 실종자 가족의 수는 두 자리도 아니고 이젠 한 자리 숫자이다. 그리고 박근혜 대통령부터 수많은 정부 관료들과 담당부처의 떠넘기기

식의 수사 결과들은 하루 벌어 하루 먹고 사는 서민들에겐 마음처럼 안타까워하지도 못하는 상황이었다.

특히 부와 권력을 누리는 사람들은 온갖 조롱을 일삼던 날들이 계속되었다. 국가는 생명 보호와 예방 및 안전을 지켜야 하는 지중한 임무를 망각하고, 당시 집권 여당의 모르쇠와 무능력의 대응방식은 정치적, 여론적으로 세월호 희생자를 교란시키고 갈등을 부추겼다. 이에 국민이 국민을 적대시하고 갈등을 유도하는 사회적 분위기 그리고 세월호 관련 기관들과 그에 따른 담당자들로 인해 세월호 침몰에 가장 큰 피해자인 실종자가족들은 설 곳이 없었다.

"그만 좀 하지. 뭘 찾아?" "나올 거면 진작 나왔지." "지긋지긋해." "집 놔두고 뭔 대책 세우라고 난리들이야?" "무슨 배까지 인양하라고 해?" "저 사람들 다 못 사는 동네 산다잖아?" "저것들 얼굴 좀 봐. 다 자식 팔아 돈 뜯어내려고 저러는 거잖아?" "부모 중에 국회의원 아님 장차관도 없잖아?" "유품이라고 나오는 것 봐. 지갑에 돈도 없던데?"

이렇게 무수한 말들이 국민들 입에서 입으로 떠돌아 다녔다. 여기서 중요한 것은 그 국민들이 처음부터 그러진 않았다는 것이다. 함께 슬퍼하고 분개하며 공감했고 허탈한 마음에 일이 손에 잡히지 않았던 국민들이 있었다. 그 국민들은 다 어디로 갔는가?

마지막 실종자(황지현 학생)를 찾은 지 며칠 안 되어 발표하는 상황에 충격이 컸다. 내가 옆에서 바라본 실종자가족들은 기자회견 시간을 최종적으로 앞두고도 몇 번이나 실종자 가족회의를 하고 또 하는 것을 지켜보았다. 나는 실종자가족과 정부의 입장이 다른 상황이었을 것으로 추측하지만 어떻게든 정부로부터 세월호 인양이라는 정확한 답변과 그 시기를 약속 받아야 한다는 생각을 했던 것이다.

2014년 11월 11일 단원고 고창석 교사 가족이 마이크 앞에 서고, 양옆에 실종자가족들이 서 있었다. 실종자 수중수색 종료 기자회견을 마친 오후 싸늘한 공기만 홀로 구슬퍼 야속한 천장 불빛만 대롱 걸려있었다. 사실 실종자를 찾는 순서대로 진도 실내체육관을 떠나 장례식 마친 후 각자 집으로 돌아가 일상생활을 적응하느라 힘든 시간들이었다. 그러나 몇십 명의 유가족들은 안산에서 '4.16 가족협의회' 라는 명칭으로 컨테이너를 조성해 투쟁 활동을 이어갔고 몇몇 유가족들은 팽목항 컨테이너에서 자리를 잡고 투쟁을 했었다. 그로 인해 유가족들은 팽목항으로 실종자가족들을 유도했지만 남은 미수습자가족들은 함께 거처하고 싶은 생각이 없어 다른 곳으로 거처할 공간을 몇 군데 찾아보기로 했었다.

나는 장기전으로 돌입한다고 봐도 이상하지 않은 현실이기에 우선 각자의 집으로 돌아가 몸부터 살피고 병원 치료도 받으면서 최소한의 심신을 챙겨 팽목항이든 다른 곳이든 다시 살펴보자는 의견을 냈다. 왜냐면 재난현장으로 인해 7개월 동안 진도군민이 배려해 사용하고 있는 진도실내체육관을 비워달라는 요청에 진도군 입장도 난처했기 때문이다. 나는 세월호 침몰로 인해 전국에서 가장 피해를 본 지역은 바로 전라남도 진도군이라고 생각했다. 진도군민들은 초창기부터 너나 할 것 없이 서로 달려들어 실종자가족들을 위해 봉사하고 뭐라도 끌어다 구호물품으로 갖다 놓느라 여념이 없었다. 그렇게 한 달도 어려울 판에 7개월 동안 이어갔는데도, 세월호가 침몰한 순간부터 진도라는 지역은 암울한 지역, 어둡고 무서워 공포로 가득한 곳, 하다못해 누군가는 바다 속에 시신과 기름으로 오염된 진도 특산물을 절대 먹을 수 없다고까지 했다. 그런 탓에 전국에서 아름답다고 소문난 청정 다도해와 관광인구는 날벼락을 맞았고 특산품 판매도 아예 발길이 뚝 끊겨 진도군민의 생업이 하루아침에 문을 닫게 되었다. 어민들은 물론 오죽하면 진도군민들은 외부 사람들이 와서 진도군에 놓고 가는 것은 똥오줌 밖에 없다고 할 정도로 엄청난 피해가 있었던 것이다. 그럼에도 정작 세월호 실종자가족들 앞에선 모두 참고 기다려도 뭐 하나 변화가 없게 되자 결국 진도군민들의 아우성이 있었던 것이다. 사실 언제까지 무조건 진도군민의 삶과 각종행사를 막을 국민은 누구도 없는 것이다.

이 부분에서 세월호 희생자 가족들은 당시에는 경황이 없었다고 하더라도 진도군민의 진심어린 손길과 마음을 잊지 않고 기억하길 바라는 마음이다. 중요한 것은 7개월이 되기 전 국가와 정부가 미리 가이드라인을 실종자가족들에게 펼쳐 놓고 거친 소리가 난무해도 소통을 통해 적절한 대안과 차선을 세웠어야 했던 것이다. 특히, 자식과 가족을 찾지도 못한 심정은커녕 고개조차 마음 편히 들지 못하고 있는데 진도군민의 실종자와 유가족에 대한 적개심이 날로 격해지고, 국민들과 지역 간의 이탈된 원망들로 2차, 3차 재난현장으로 이어지게 해야만 했던 것인가?

나는 다가올 진도군의 전국체육대회 등 군민들의 무너진 일상을 회복할 권리가 당연했기에 엄연히 돌려주는 것이 적절하다고 설득했다. 그러나 가족들은 반발하면서 "대체 누구편이냐?" 라고 화를 내면서 전화, 문자, 카톡도 읽지 않기를 반복했다. 최소한의 객관적인 기준을 갖고 생각하고 행동하려고 애썼지만 이미 실종자가족이나 유가족들은 편중된 자신들만의 생각과 표현을 거침없이 하는 가속 패달이 진행 중이었다. 실종자가족들과 밀접한 관계형성이 된 봉사자로서 항상 중심을 잡고 중도(中道)를 실천해 가는 길은 곳곳이 장애물이었다.

나는 실종자가족들이 원하는 곳으로 찾아보는 것이 좋겠다는 제청을 했다. 그리고 팽목항에서 유가족들과 함께 있고 싶지 않다는 실종자가족의 의중에 변함이 없기 때문에 정부를 대신한 해수부 관련 담당자들과 적당한 위치를 함께 의논하고 직접 발품 팔아 여러 곳을 실종자가족들과 함께 확인 점검 후 거처를 정했다. 그런데 방금 전까지 함께 이동하거나 수시로 통화한 후 짐정리 하려고 진도실내체육관에 도착했는데 실종자가족들이 안 보여서 이곳저곳을 알아보니 이미 팽목항에 도착했다는 것을 알게 되었다. 참 말이 끊어진 고무줄만도 못했다. 어떤 결정이든 실종자가족의 뜻을 존중하고 손발이 되는 것이 내가 해야 할 일이라고 생각하지만 일부 가족들의 이런 형태는 안타까움과 허기진 숨소리 그 자체였다.

철수

세월호 실종자 수중수색중단 기자회견을 마치고 난 이후 모든 실종자가족들의 눈물바다와 통곡소리는 뼈마디를 꺾었다. 그나마 실종자 아빠들은 애써 눈물을 숨기고 등 돌린 채 멍하게 앉아 있거나 짐을 주섬주섬 싸기도 했다.

마지막 실종자(황지현 학생)를 찾은 후 급물살 타듯 본격화된 진도군의 종용 아닌 종용 속에 내부적 갈등이 최고조로 올랐던 시점이었다. 왜냐면 실종자가족들이 세월호 침몰현장 수색중단 기자회견을 마친 이후 정부에게 실종자가족을 대외적으로 변론한 변호사가 해임되었고 실종자가족들과는 돌아올 수 없는 강을 건넜던 것이다.

게다가 초창기엔 온 국민들이 함께 애도하고 추모했지만 점점 길어지는 수색과 정치판으로 뒤범벅된 난항이 지속되면서 하나씩 다른 의견을 내고 왜곡된 것이 사실인 것처럼 변질되기도 했다. 나는 당장 내 앞에 생긴, 우리 가족에게 닥친 재난이 아니라서, 내가 살고 있는 마을이 아니라서, 등의 생각은 한 인간이 이 지구상에서 살아가는데 매우 위험한 사회적 이기성의 가치 분별이라고 생각한다.

다시 말하면 다른 사람에게 생긴 재난은 재난일 뿐이고 내게 생기거나 내 가족에게 닥친 재난에만 국한된다면 정작 자신에게 어떤 재난이 들이닥쳤을 때 누가 함께 슬퍼해 주고 피해를 함께 호소할 것인가?

인간은 사회적 동물이다. 인간은 사회를 구성하고 조성된 사회적 범주 안에서 규율과 규칙을 법으로 정해 상호보완을 통한 상호작용의 성장과 발전이 지속된다. 그것을 토대로 제2, 제3의 인간관계가 형성될 가능성이 내재되고, 그 가능성을 통해 긴급한 사안이 발생하면 사회적 관계로 형성된 거리와 깊이에 따라 함께 협의해 대처하거나 결과물을 낼 수 있는 확장성이 보장될 수 있다. 이때 건강한 국가와 건전한 의식이 있는 정부는 국민의 안전한 생명을 가장 우선시 하는 정책과 대응을 필수적으로 한다는 것이다. 국가가 존재하는 이유이고, 국민의 노동이 일부 기업과 정부 책임자들의 배를 불리는 곳에 쓰이면 안 되는 중요한 이유가 여기에 있는 것이다.

그럼에도 박근혜 대통령을 비롯한 국가와 정부는 수학여행 다녀온다고 인사 후 집을 나선 수백 명의 목숨을 한순간에 빼앗아 가놓고 면밀한 대응은커녕 뻔뻔하게 골든타임조차 구조하지 않았고, 실종자가족들은 수많은 뉴스와 이슈들로 국민들에게 여론몰이 돼 함께 슬퍼하고 추모했던 국민들의 감정과 이성을 길길이 분탕질했다. 세월호 재난현장과 실종자가족들을 옆에서 밀착해 오랜 시간 보고 듣고 느낀 결과는 간단하다. 누구도 그들에게 돌을 던질 자격이 없는 것이다.

나는 진도실내체육관에 펼쳐진 이불들을 정리하기 시작했다. 우선 급한 것들만 먼저 정리해 팽목항으로 보내기로 했다. 이후 입맛도 쓰디써 밥때도 놓친 것을 알았을 땐 진도실내체육관에 나 혼자 밖에 없었다. 진도실내체육관 1, 2층을 가득 매운 그 많은 짐들을 당일에 정리할 수 있을까? 그렇지만 마냥 손 놓고 있을 수 없어 배고파도 참고 혼자 정리하기로 마음먹었다. 우선 실종자가족별로 나누고 짐을 정리했다. 팽목항으로 이동하는 실종자가족도 있었지만, 일부 실종자가족은 안산으로 올라갔기에, 4.16 가족(기억 저장소)협의회에서 어떻게 관리할지 몰라 우선 분리해 정리하기로 했다.

팽목항으로 이동할 짐들은 각각 실종자 이름으로 적어 1차로 분리했고, 2차로 안산으로 올라 간 실종자가족들의 짐도 이름을 적어 분리했으며, 마지막으로 그 외의 짐들을 분리해 두 번 일 안 되기 위해 나는 4.16 기억저장소 담당자와 통화했다. 마지막 실종자 황지현 학생 가족이 사용했던 것도 이름을 적어 정리했다. 저녁 무렵 차량이 도착해 이불, 매트, 돗자리, 우산 등 수많은 물품들을 꽉 채우고 있는데, 트럭을 몰고 온 분이 "아니 이렇게 많은 것을 혼자 정리하셨어요?" 라고 놀라 물었다.

나는 묵묵히 "안산까지 올라가려면 밤길이고 먼 곳이니 고속도로 휴게소에서 꼭 쉬시고 안전운전해서 잘 가세요." 라고 인사했다. 홀로 남은 진도실내체육관에서 잠시 멍하게 앉아 있었다. 분명 방금 전 트럭에 싣고 떠나는 것을 보았는데 내 눈엔 진도실내체육관에 실종자가족들이 그대로 다 있었다. 실종자가족들이 진도실내체육관 무대 위에서 수중 수색중단 기자회견을 했던 11월 11일의 가장 뼈아픈 모습과 꺼지지 않고 밤새 뉴스를 보아야만 했던 대형 VTR 두 대, 그리고 실종자를 찾아 이곳을 떠났던 가족들의 뒷모습들이 어디 하나 가지 않고 다 있었다.

때론 실종자의 이름에서 유가족으로 전환된 공간이고 인간의 처참한 내면이 다 들통나버리기도 하는 괴로움과 피해자들끼리 피해자를 갈라치우는 그런 뼈아픔으로 채워진 재난현장이 모두 나의 눈 안에 있었음을 한참 동안 있는 그대로 바라보았다.

한 가지가 떠올랐다. 그것은 실종자가족들의 사생활 보호는 커녕 동물원 원숭이 보듯 뻔히 드러난 환경이었다. 우리가 동물원을 가 봐도 짐승들이 머무는 테두리를 각각 선으로 긋고 각각의 안전과 영역표시를 위해 철망으로 단단하게 설치를 한다. 그런데 수백 명 실종자가족들은 구호물품으로 받은 이불만 덮고 자식과 가족을 찾는 긴긴 300일 정도를, 24시간 내내 켜진 커다란 전등 불빛 아래에서 뜬눈으로 새기를 수천만 번도 더하고 그러다 지치고 지친 날은 깜빡 졸고 깨기를 셀 수 없을 정도로 해야만 했다. 아니 그렇게라도 버티고 견뎌야만 했고, 초인간적인 의지로만 지냈던 열악한 환경이었다.

나 역시 대전에서 진도까지 밤길 오가는 날이 많았기에 걱정하는 실종자가족들이 그곳에서 눈 붙이고 자고 가라고 열 번 배려해 주시면 한번 정도 진도실내체육관에서 이불 하나 둘둘 말아 베개도 없이 잠을 청한 적이 있었다. 처음엔 밤새도록 켜 있는 불빛 때문에 밤을 꼬박 지샜고, 그 다음엔 억지로 잠을 청하기도 했지만 사생활 보호가 전혀 되지 않는 체육관 공간에서 정말 어떻게 견디실까, 라는 생각이 들 때마다 고개가 저절로 숙여졌다. 칸막이라도 설치해 달라고 했는데도 박근혜 대통령과 정부는 일체 답이 없었고, 의사협회에서도 목소리를 함께 냈지만 결과는 여전히 묵묵부답이었다.

도보순례단 그리고 1,000일

　　도법스님과 인연은 '안산에서 팽목항까지' 라는 슬로건으로 세월호 도보를 하던 때이다. 그때 나는 진도에서 안채 툇마루 모기장 원단을 재단해 손바느질을 하던 중이었다. 그런데 마을 어르신들께서 "아따 쪼까 있음 뭔 세월호 걷는 사람들이 여길 지나간다는 디라." 고 말씀하셨다. 나는 도보순례단 담당 분과 통화해 도보순례단의 일정과 숙박, 인원을 물었고 담당자는 다시 연락한다고 했다. 담당자는 숙박, 70명 식사(조석)가 가능한 지, 진도대교 넘어 도착이 4시간 정도 밖에 안 남았는데 혼자 가능하세요? 라고 물었고 가능하다고 했다.

　　나는 진도 집 리모델링 이후 치유와 명상센터를 염두해 깔끔하게 준비한 이불 등의 수량을 파악하고 안채와 별채를 오가며 청소기로 휘리릭 돌려주었다. 이후 안채와 별채에 있는 냉장고를 살펴 저녁과 아침 메뉴를 준비하기 위해 진도읍 수산시장에

갔다. 전복 등 해산물 구입과 각종 필요한 식자재와 음료수, 간식을 준비했다. 이후 진도읍에 거처하는 스님께 전화해 도법스님이 오신다니 함께 오셔서 공양도 하시고 담소도 나누시면 좋겠다고 여쭈었더니 흔쾌히 좋다고 하셨고, 도와주실 분을 소개받아 우리는 마당 한 곳에 불을 피워 돼지고기와 묵은지를 큰솥에 넣어 김치찌개를 끓였다. 솥뚜껑 사이로 김이 모락모락 나면서 끓고 있는 동안, 쌀을 씻어 불려 놓고 안채와 별채 각 방들에 생수, 종이컵, 음료 및 과자류를 쟁반과 소쿠리에 담아 준비했다. 정말 한여름 복판에 땀이 비 오듯 흘러도 힘든 줄 모르고 기쁘게 했다. 그렇게 도보순례단은 진도 '치유와 명상센터' 첫 내방자들이 되었던 것이다.

긴 돌담과 나무대문을 열고 도법스님과 함께 오신 목사님과 일반인 그리고 학생들이 들어와 모두 인사를 마친 후, 몇 분들이 도와 과일과 생수를 내놓고 야외 텐트도 꺼내 놓고 쾌속으로 쿠쿠 밥을 계속했다. 여름날 저녁 200평 남짓 되는 곳에서 도보순례단은 안채와 별채 그리고 툇마루와 마당까지 나누어 앉아 담소를 나누었다. 도법스님은 내가 모신 법당에 참배하신 후 목사님도 법당에 들어가서 예배와 명상까지 하셨고, 도법스님은 진도읍에서 달려오신 스님과 함께 이런저런 말씀을 나누었다.

다음날 아침 순례단 중 여성 한 분이 도와주어 전복죽을 준비했다. 마당엔 큰 돗자리 몇 개 이어 깔고 도법스님이 마당 한쪽 맨 바닥에 앉는 것을 보고 다른 사람들도 맨 바닥에 앉아, 우리들은 한 편의 영화처럼 그렇게 모양 없이 김치 반찬 하나에 전복죽 한 그릇을 비웠다. 한 그릇 더 달라는 분들로 큰솥이 금세 바닥났다. 지금 다시 회상해도 정말 여법하고 환희심이 절로 났다. 세월호 봉사 중 손꼽힐 정도의 아름다운 걸음이었다. 그렇게 '안산에서 팽목항까지' 도보순례단의 배웅을 마치고 나는 숨 돌릴 새 없이 안채와 별채를 정리하고 서둘러 팽목항으로 출발했다.

속만 타는 시간은 미수습자가족들을 단련시킨다. 세월호 인양을 호소하고 국민들의 관심을 유도하기 위해 전국 시민단체를 두루 다니면서 연이은 간담회와 서울 광화문 시위까지 쉴 새 없이 뛰어다닌 미수습자가족대표는, 대외적인 일정을 맡아 이동하며 바빴고 다른 미수습자가족들도 함께 투쟁했는데 광화문 1인 시위는 날짜 별로 조정했던 뼈아픈 시위였다. 특히 국민도 지친 상황에 정작 미수습자가족들은 시간적 고립의 환경에 분통했다.

세월호 참사 1,000일이 다가오던 어느 날, 팽목항 분향소 참배 후 미수습자가족들을 뵙고 어떻게 하면 마음을 보탤 수 있을까? 불현듯, 모든 환경이 좋지 않은 흙탕물 속에서도 자신의 생명인 뿌리와 줄기를 굵게 옆으로 뻗어 물 위로 떠받친 연잎과 그 위로 솟아올라 핀 연꽃이 떠올랐다. 나는 본래 등대라는 것은 누군가의 생존과 꿈을 밝혀주고 응원해 주는 꽃별이라는 생각이다. 나는 세월호 1,000일이 될 때 진도 팽목항 등대에서 희생자를 추모하고 미수습자를 기다리며 인양을 염원하는 그런 자리가 없으면 어떡하지? 염려가 되었다. 세월호 1,000일을 맞이해 전국 각 지역에서 추모하는 움직임들이 퍼져 있었기 때문에, 정작 세월호 침몰현장에서 가장 가깝고 미수습자가족들이 있는 팽목항 등대에 행여 썰렁한 바람만 오갈지 알 길이 없었다. 나는 세월호 1,000일 추모와 기다림의 마음을 함께할 수 있는 범위를 생각해 함께할 공연 단원과 그에 따른 사안들을 구체적으로 준비했다. 그런데 염려했던 대로 세월호 1,000일이 되던 날 팽목항 등대는 완전 을씨년스러운 바람만 가득했다.

나는 묵묵히 팽목항 등대를 향해 버선발로 걸어갔다. 고독한 바람에 찢긴 깃털들만이 병풍도로 날아간다. '세월호 1,000일의 기다림과 천(天)의 소리 추모문화제'가 거행되었다. 미수습자가족 권오복님이 노란연꽃 초 고 권재근(남동생), 고 권혁규(조카 / 사고 당시 7세) 심지에 불을 밝히고 다른 미수습자 이름이 새긴 노란연꽃 초에도 불을 밝혀 주셨다. 이후 동참한 모든 분들이 함께 295개 색색의 연꽃 초를 팽목항 등대에 둘러놓았다. 풍경 안에 매달린 종의 줄엔 노란방울을 매달아 '희망의 끈'을 놓지 않고 이어가겠다는 염원의 소리를 댕그랑 댕그랑 하며 서로 잇고 이었다. 미수습자 9명에겐 따뜻한 밥이라도 먹고 꼭 만나야 한다는 의미를 담아 내가 직접 지은 '엄마의 밥상'을 팽목항 등대 앞에 준비했다. 또한 이 세상에 태어나 처음 만났을 때 입어 보았을 배냇저고리에 노란색실로 9명의 미수습자 이름을 각각 새기어 '엄마의 배냇저고리'를 준비했다. 그리고 추운 겨울 잘 참고 있다가 엄마 아빠 가족 곁으로 꼭 와 달라는 의미를 담아 털신 위에 노란리본을 부착해 9명의 이름을 적어 '아빠의 털신'을 준비했다. 마지막으로 세월호의 온전한 인양 후 뼈 한 점이라도 찾아 만날 때 서로의 눈물을 닦아준다는 '엄마의 기다림'이란 인고의 의미를 담아 하얀손수건 위에 노란색실로 9명의 이름을 새겨 놓았다.

먼저 1부는 대한불교조계종 스님이 추모의식을 집전해 주셨다. 2부엔 금비예술단 공연이 펼쳐지고 막바지 닻을 무렵 내가 춤을 추어야 하는 시간이 되었다. 도대체 어떻게 알고 오셨는지 팽목항 등대 앞을 둘러싼 기자들과 카메라 담당자들이 모두 휘청할 정도로 바람이 불었지만 나와 서윤신 무용가가 함께하는 춤은 이미 시작되었다. 나의 춤, 하늘 춤은 점점 악화되는 팽목항 바람에 버선발 한 코 딛고 세우기가 어려웠다. 몸이 바닥에 닿으려 해도 소매 둥근 부리 사이로 들어오는 바람은 팽목항 등대에 둘러 있는 9개의 노란연꽃 초와 295개 형형색색의 연꽃 초를 돌고 돌았다.

하늘과 땅에 선 우리 인간들의 잘못으로 인해 수백 명의 목숨을 빼앗긴 희생자들과 아직도 엄마, 아빠 곁으로 가지 못한 미수습자들에게 미안하다는 말을 전하는 버선코를 세워 딛고 다시 돌았다. 나는 온전한 세월호 인양과 미수습자 9명이 가족의 품안으로 돌아올 수 있기만을 염원하는 바람이 바람을 불어 미수습자의 이름으로 날아다닌 춤을 추었다. 그 당시 평생 맞을 바람이 있다면 그 자리에서 다 맞는 춤이 저절로 일어났다.

특히 그때 함께 춤을 추었던 서윤신 무용가는 대단했다. 나역시 얇디얇은 옷을 걸친 채 버선발 하나로 시멘트 바닥에서 춤을 추었지만, 서윤신 무용가 역시 검은 정장 슈트 하나만 입고 맨발로 춤을 추었다. 지금도 '세월호 1,000일의 기다림과 천(天)의 소리와 춤'을 추던 그때가 떠오르면 숨이 멎는다. 환희로움 그 자체였다. 춤출 땐 팽목항 등대 바람을 쓸어 맹골수도까지 닿아 가고 오는지 물어볼 길이 없다. 바람으로 부풀어오른 붉은 치마에 무엇을 날리고 모았는지 병풍도는 알리라. 세월호 참사가 일어난 그날 그 바람을 다 보았을 테니.

3부엔 우리나라 전통 '연(鳶)' 꼬리 맨 끝에 미수습자 9명의 이름을 각각 적어 병풍도를 향해 바라보고 팽목항 등대에 길게 서서 기다렸다. 가장 먼저 미수습자가족 권오복님이 미수습자 권재근, 권혁규님의 이름을 불러 외치면서 연을 날리고, 그 뒤를 이어 추모제 의식을 집전한 담당스님이 미수습자의 다른 이름을 부르고 외치면서 9개 연(鳶)을 다 날리면, 하늘길 따라 바람길 따라 바닷길 따라….

그렇게 인양 후 목포 신항으로 올 때 길 잃어버리지 말고 엄마 아빠 가족들이 부르는 이름 잘 듣고 가족의 품으로 돌아오길 염원하는 '희망의 연(鳶)'을 날려 잇고 이었다. 마지막으로 모든 참가자들은 팽목항 등대 앞을 둥글게 돌면서 '세월호 1,000일 강강술래'를 뱉음으로써 추모의 마음을 담아 입으로 기원하고, 또다시 '인양술래'를 전하는 소리로 미수습자를 기다리는 몸짓들로 우리들은 하나가 되었다.

인양에 대해

전 해수부와 관련 있던 분에게 전화가 왔다. 오죽하면 실종자가족들이 수중수색 중단을 요청하겠냐? 어떻게든 고삐 늦추지 말고 서둘러 인양할 수 있도록 해야 한다고 걱정하셨다. 또한 금비단장은 세월호 처음부터 가족들 옆에서 봉사한 유일한 분이니 정확한 성보를 토대로, 정부에 의견을 제시하면 좋겠다는 말씀이었다. 특히 근무 당시 최선을 다한다고 했어도 개인적으로 마음이 안타깝고 아프다는 말씀을 하셨다. 따라서 실종자가족을 만날 수 있게 자리를 만들어 달라는 부탁과 힘껏 도와 봉사하고 싶다는 말씀이었다.

그러나 수중 수색중단 요청 기자회견 이후 실종자가족들은 일체 마음이 닫혀 있었고, 실종자가족 대표를 중심으로 똘똘 뭉쳐 단체행동을 전제했기 때문에 예전처럼 편하게 통화를 한다거나 문자, 카톡 등의 소통도 멈춰진 시기였다. 나는 광화문으로 올라가 실종자가족 분들이 1인 시위하는 것을 보고 안타까운 마음에 따뜻한 밥이라도 권하면 냉소적인 반응이었지만, 세 번째 방문 때는 함께 점심식사를 할 수 있었다. 그 다음 인근 커피숍에서 차 한잔으로 응원하는 대화를 나누었지만 누구도 믿지 않는 의심과 불안이 가득차 보였다.

전 해수부 담당자의 뜻을 전한다고 양해를 구하고 실종자가족들이 모인 자리에서 세월호 인양과 관련해 꼭 드릴 말씀이 있다고 전했다. 가족들과 몇 번의 대화 후 실종자가족 대표로 활동하는 엄마와 다른 아빠도 모여 주었다. 그러나 대화는 순조롭지 않았다. 나는 인양을 빨리 할 수 있는 정보와 구체적인 방법을 참조해 들어보라고 실종자가족에게 권했는데 불발되었다.

2014년 11월 11일 실종자 수중 수색중단 기자회견을 한 순간부터 이상한 기류가 있었다. 전 해수부 관련된 분은 세월호 인양 건은 지금 대외적으로 이슈가 어렵고 내부적으론 단합된 노력을 펼치기도 곤란한데, 치밀한 계획과 이슈를 종합 정리해 대상별, 이슈별 전략적 접근이 긴요하다고 했다.

정부는 답도 없이 속도를 멈춘 야속한 시간만 지나갔다. 그즈음 일부 국민들은 세월호와 실종자에 대해 말만 해도 면전에서 면박했다. "지 아버지 죽어도 3일이면 장례 치르고 살 길 찾는데 뭔 나라가 이렇게 질질 끌려 가냐?" "벌써 몇 년째 정치꾼들과 야합해 훑어 먹고 있냐?" "인양하지 말라" "특조위원회에 쏟은 예산이 얼만 줄 아냐?"

나는 세월호 침몰이 발생한 정확한 진실을 밝혀 앞으로 제2, 제3의 대형 참사가 발생되지 않도록 예방하고 대응하는 등의 면밀한 사실들이 규명되고 실행되어야 한다는 것이다. 당시 국민의 생명을 책임진 박근혜 대통령은 무엇을 했고 앞으로 어떤 것을 노력해야 하는지? 정부는 무엇을 잘못해 대형재난이 발생되었고 책임자는 정확하게 밝혔는지? 앞으로 법을 개정하거나 보완해 책임져야 할 것들은 무엇인지? 세심하게 잘 살펴야 한다는 것이다.

일부 국민들은 생존과 가정을 책임지고 다른 사람보다 더 많은 이익과 성공을 위한다는 명분 아래, 조직과 시스템으로 형성된 직장이나 사업터전 및 각종 일터에서 얼마나 많은 비리의 비리를 서로 덮고 감싸기에 급급해 했는지? 정말 근본적인 사회적 책임은 과연 누구 1명의 잘못으로 세월호가 침몰된 것이 아니란 것이다.

팽목항엔 단원고 여학생 2명의 부모가 있었고, 축구를 좋아했던 단원고 남학생 1명의 부모와 4대독자 남학생 미수습자가족은 사정이 있어 안산과 팽목항을 오고 갔던 상황이었다. 일반인으로 가장 희생자(3명)가 많았던 가족이 있었다. 단원고 고창석 교사가족인 아내는 말수가 적고 야무지면서 현명해 보였고

2014년 11월 11일 실종자 수색중단 기자회견 발표 이후 몇 번 보았던 적이 있었던 것 같다. 당시 미수습자가족 간의 거리도 좀 있었던 것으로 기억한다. 일반인 미수습자 이영숙님의 가족도 거의 말수가 적고 조용했는데 개인사정으로 얼굴을 자주 보긴 어려웠다. 마지막으로 단원고 양승진 교사가족은 팽목항과 안산 오가기를 반복했는데, 세월호 인양을 앞두고 팽목항에 내려오지 못하는 상황이 이어져 안타까운 마음에 전화를 했다. 훗날 세월호 인양할 때 다른 미수습자가족은 다 동참하는데 그 가족만 현장에 함께하지 못하면 더 큰 후회로 남을 수 있고 미련이 될 수도 있지 않을까, 라는 걱정에 설득을 하고 또 했던 것이었다. 다행히 다음날 안산에서 일찍 출발해 다른 미수습자가족들과 함께 무궁화호를 탑승했다.

오전엔 미수습자가족들 기자회견이 팽목항 등대 앞에서 있었다. 미수습자가족들 모두 신경이 날카로워 발걸음 소리조차 조심스럽고 여의치 않았던 시기였다. 그래서 일부 미수습자가족에게 오후에 '세월호 인양 집중 기원제'를 3일 동안 할 예정이라고 말씀 드렸더니 "인양할 땐 바다에 있을 테니 수고하시고 기도 잘 부탁한다."는 말씀을 하셨다. 오후 팽목항 등대에서 대한불교조계종 ○○스님을 모시고 '세월호 인양 집중 기원제' 불교의식이 집전되었다. 미수습자 9명의 밥과 국 그리고 나물을 준비했다. 행여 배고파 못 나올까 싶어서다. 게다가 세월호 인양이 된다고 하니까 일전 세월호 1,000일에 준비한 배넷저고리와 하얀손수건이 닳아졌을까 싶은 마음에 새 배넷저고리와 하얀손수건 그리고 털신을 준비했다. 사실 초창기부터 실종자가족 들과 9명의 미수습가족들이 가장 많이 찾았던 곳은 팽목항 등대이다. 나역시 고통스러울 때마다 숨은 눈물을 적셨던 곳이다. 그럴때면 어김없이 도신스님(현, 제7교구 본사 주지)께서 목탁을 치면서 팽목항 등대를 돌았던 염불소리가 풍경처럼 둥지가 되어주었다. 목탁새 노래소리도 따라 이어졌다. 그렇게 팽목항 등대 앞에서 간곡한 기도를 마친 후 바로 팽목항에서 여객선을 타고 40분 정도 달려 도착한 조도면 창유항에서 ○○스님과 함께 내렸다. 세월호 침몰 당시 조도면 거주자 선장님은 직접 어선을 끌고 희생자들을 구조하러 갔는데 정부가 제지한 경험을 갖고 계셨다. 나는 미리 예약한 팬션에 도착 후 밥과 나물, 간식을 준비해 출발했다. 날씨는 어느 정도 시야가 확보 되었다. 세월호 침몰현장에서 가장 가까운 도리산 전망대에서, '세월호 인양 집중 기원제' 2차 기도를 집전할 수 있도록 해야 할 일이 많아 재빠르게 짐을 풀어 서둘렀다. 준비해 간 미수습자 9명의 밥과 국 그리고 나물 세 가지를 놓고 그 옆엔 과자와 음료수를 놓았다. 이후 조도고등학교 교장선생님, 박경도 선생님, 그 외 분들이 함께 응원을 해 주셨다.

세월호를 인양하는 역사적인 날이다. 그동안 입이 닳도록 우리들은 "하늘이 도와야 한다, 날씨가 도와야 한다." 기도해왔고, 나 역시 역풍이라도 불지 않기를 간절히 기도했다. 그동안 세월호 봉사한 것을 알고 계셨던 선장님은 먹고살기 바쁜데 이렇게 변치 않고 함께해 주는 마음이 고맙다며 어선과 안전한 운전을 맡아 주시고, 나는 인양 선상기도에 필요한 간단한 물품과 숙소 및 식사를 준비했다.

아침 일찍 전화가 왔다. 피아니스트 임동창 선생님이다. 임동창 선생님은 오늘 세월호 인양한다는 소식에 "제자들과 함께 금비선생님 응원하려고 팽목항에 도착했는데 지금 어디 있어요?"라고 물으셨다. 나는 깜짝 놀란 마음과 감사함이 교차되면서 팽목항에서 창유항 가는 배를 타고 오시면 저도 보고 함께 응원할 수 있다고 말씀드렸다. 출가 직전 새벽 3시 진도로 향하는 자동차에 시동을 걸었던 적막한 마음이 울컥 올라왔다. 세월호로 출가하기로 맘먹고 3년이 넘은 시간은 결코 짧지 않은 고통과 인욕의 연속이었다.

다시 전화벨이 울렸다. 10분 후 창유항에 도착한다고 했다. 나는 창유항 부둣가로 마중 나갔고 임동창 선생님은 남자 제자한 명과 함께 오셨다. 세월호 침몰현장에서 '세월호 인양 집중기원제'를 할 때 어선엔 4명 이상 타지 않기로 미리 선장님과 약속했기 때문에 다른 제자들은 팽목항에 남을 수밖에 없었다. 나는 창유항 마중 가기 전 준비한 물품들을 서둘러 차로 옮겨 놓아 시간을 단축해 선장님과 만났다. 선장님은 임동창 선생님을 바라보며 "혹시 피아노 치시는 분 아닌가요?" 먼저 반갑게 맞이해 주셨다.

최초로 세월호 인양을 직관하면서 '세월호 인양 집중 기원제' 3차 기도를 할 수 있게 되었다. 얼마나 간절했던가? 이때 매우 중요한 사실이 있다. 그것은 세월호를 인양하는 날 안전한 인양을 위해 정부는 인근 바다 즉 세월호가 침몰되어 있고 그 배를 인양하는 중국 인양업체인 상하이샐비지의 재킹바지선 두 척이 있는 곳을 중심으로 1.8km 이내로는 어떤 어선도 운행을 하거나 정박을 해서도 안 되는 금지 사항을 발표했다. 이에 나는 미리 선장님과 소통했고 그에 따른 위치 선점을 2km로 목표를 두었다.

우린 조금 일찍 도착했다. 나는 준비해 온 몇 가지 물품을 풀고 바로 기도를 시작했다. 동참한 피아니스트 임동창 선생님과 제자 그리고 선장님까지 함께 각자의 방식대로 기도를 시작했다. 그렇게 간곡한 기도를 올리고 있는데 어디선가 방송이 들렸다. 자리를 이동하라는 것이다. 순간 하늘을 보니까 헬리콥터가 뱅글뱅글 맴돌고 있었다. 방송이 계속 들렸다. 나는 선장님에게 급히 물었다. "현장하고 거리가 얼마예요?" 선장님은 "2km 거리에 있다." 고 했다. 나는 "정부가 제시한 어선 출입제한 선을 지키고 있는 것 맞죠?"라고 한번 더 물었다. 선장님은 "그렇게 말여, 아따 뭐땜시 저런댜? 옛날엔 구조도 못하게 하더니만…, 법도 잘 지키고 있는디."라며 답답해 하셨다. 나는 선장님에게 "법을 어긴 것 없으니 기도하겠습니다." 라고 답을 했다. 이후 몇 차례 헬리콥터 소리가 가까이 들리다 날아가 버린 고요한 바다 위, 선상기도를 마치고 잠시 바다를 바라보았다.

나는 귀한 마음 내 주신 선장님이 너무 고마워 큰 소리로 "선장님 고마워요!" 라고 전했는데 선장님은 오히려 내게 더 감사하다고 하셨다. 세월호 사고부터 지금까지 매순간 정성 들이고 또다시 인내하기를 반복한 지금, 저 멀리 보이는 상하이셀비지의 재킹바지선 두 척이 노란 바람을 타고 엄마, 아빠 그리고 가족을 만나러 떠나고 있다. 정말 봐도 믿기지 않는다는 말 그대로였다. 믿을 수 없는 배신, 그 배신이 두 번 다시 없기를 바라면서 선장님이 뱃길을 돌리는 모터소리가 들려온다. 철근보다 더 짓눌린 이 마음 누가 밀고 걸었을까?

나는 왜 이토록 세월호 침몰에 간절할까? 하루아침 날벼락으로 빼앗긴 수백 명 목숨 값에 이 한 몸 달리 할 길 없어 오직 몰입과 정성을 다한 기도와 춤 그리고 봉사 이것만이 나의 사명이란 그 마음 하나뿐인 것이다. 고통이 발목 잡고 비틀 때마다 터진 비명의 언어들을 스스로 위로하고 그저 들숨과 날숨을 살피면서 지금 여기에 있을 뿐이다.

동거차도를 뒤로 하고 나오려는데 북동 인근에 기름띠가 덮혀 있는 것을 발견했다. 인양을 마치면 동거차도 주민들의 원성이 눈에 선해 안타까운 마음으로 현장 사진을 찍은 순간 마침 전화가 왔다. Jtbc 서복현 기자다. '세월호 인양' 취재 관계로 팽목항 도착이 얼마 남지 않았다고 하면서 내게 팽목항에서 잠시 뵙고 싶다고 했다. 나는 세월호 침몰 인양 현장 2km에서 '세월호 인양 집중 기원제'를 마치고 팽목항으로 갈 예정이라고 했다. 이후 동거차도 기름띠가 걱정되어 기자에게 있는 그대로 전했더니 혹시 사진이나 영상 찍은 것 있으면 제보해 달라고 요청해 바로 전송했다. 당일 저녁 메인 뉴스에 사진제보자로 나왔다.

세월호 인양 성공이다. 미수습자가족 대표와 부둥켜안고 울었다. 그 어떤 말로도 위로할 수 없었다. 서로 꼭 부둥켜안고 서로의 등을 쓸어내리면서 말이다. 처음이다.

거치와 또 다른 출발점

        인천을 출발해 제주도로 가던 세월호는 3년 6개월 만에 침몰현장 진도 병풍도에서 전라남도 진도군 금로해역을 지나 주광리와 달리도 인근을 거쳐 마지막 105km를 이동해 제주도가 아닌 목포 신항에 거치되었다. 미수습자가족들도 살아서 못 다한 마지막 여행을 함께하듯 상하이셀비지 재킹바지선에 안착한 세월호 뒤를 따라 달려온 곳이다. 하늘이 돕고 날씨가 도와야 한다고 숱한 바람에 전한 간절한 기도는 수천만 번도 넘었다. 다행히 날씨와 거센 조류는 하늘의 기적을 이뤄내 인양 후 순조롭게 진행되어 미수습자가족들의 뼈저린 가슴을 3년 만에 다독여 주었다. 그런데 꿈에도 그리던 미수습자가족들의 설렘은 잠시였다. 산 넘어 산이다. 하긴 누구도 익숙하게 해본 적 없는 세월호 인양 그리고 육상 거치. 이 대목에서 다시 한번 강조해도 아깝지 않은 원론은 누구도 예상하지 못할 만큼 빠른 시간에 침몰된 것이다.

봉사를 하던 중 어떤 해상 관계자 분을 우연히 만났다. 그분은 사고 당시 세월호가 기울어져 반 정도 침몰된 것을 보고 전문적인 계산을 했었다고 했다. 통상 세월호 배 정도의 톤급이면 침몰 가능한 시간이 나온다고 했다. 그분은 다른 곳으로 이동해 업무진행을 해야 해서 다른 업무 팀에게 조치를 취하고 최대한 빨리 다녀와 그곳으로 가 봐야겠다고 했었단다. 그런데 전혀 믿지 못할 상황이 일어났다는 것, 예상을 완전 뒤엎고 너무 빨리 침몰되어 경악을 금치 못했다는 것이었다.

우리 사회는 뜻하지 않은 사고와 사건 속에서 사고의 원인과 과정 그리고 책임규명에 따른 처벌까지 법의 규범 안에서 최소 평등한 법규에 따라 진행되어야 한다. 인간다움을 포기하거나 유린한 자들에 의해 점차 어긋난 진화로 발전된 범죄들을 판사와 검사 그리고 변호사들이 그들에게 유리한 법리적 해석을 내세우고, 뒤로는 권력과 부가 계산된 교집합의 힘을 손에 쥐고, 인간이 지녀야 할 윤리적질서와 조화를 우롱하는 비리와 부패는 이미 선을 넘었다. 게다가 반복적으로 모양만 다른 사건과 사고가 빈번한 것은 결국 인간의 욕망은 이기적인 시공간적 환경 속에 불규칙적인 폭력과 다양성에 따라 윤리적 균형 의식이 고갈되었다는 것을 반증한다. 돌발적이고 비상식적인 것들이 상식을 위협하고 공포를 조성해 비민주주의적인 사회로 후퇴하는 현실이 난제 중의 난제라고 생각한다.

드디어 세월호 육상 거치 후 선체 내 수색이 시작되고 긴장 감은 더했다. 당시 유가족들은 목포 신항 출입문 앞에서 농성을 하며 정부에게 유가족에게도 임시 가림막이나 컨테이너 등 적절한 것을 준비해 달라고 요청을 반복했으나 그 요구를 들어 주지 않았다. 팽목항 자갈돌에 엉덩이가 패이고, 광화문 시멘트 바닥에 앉아 군살이 다 베였을 몸을 이젠 세월호를 눈앞에 둔 목포 신항 차디찬 시멘트 바닥에 또다시 세워야 했다. 솟대처럼 말이다. 이후 유가족들이 농성한 자리 주변엔 하나씩 컨테이너와 천막이 들어섰다. 목포시나 다른 시민단체 등의 주선으로 컨테이너들이 자리 잡을 수 있었던 것으로 추측했다. 많이 부족한 상황이었지만 임시 화장실이 있어 그나마 유가족들 보는 게 덜 힘들었다.

보안구역인 목포 신항 출입과 관련해선 미수습자가족들과 정부 관련자 및 세월호 선체 수색 담당자들만이 가능했다. 그 외 출입을 해야 할 경우엔 정부를 대신한 해양수산부 관계자 및 미수습자가족들의 수락이 있어야만 가능했다. 이후엔 유가족도 조별로 날짜를 정해 컨테이너에서 활동을 했기 때문에, 누가 제지를 하거나 협의가 되지 않는 방문이면 정관계는 물론 무조건 출입 자체가 힘들고 탈이 나면서 격렬했다.

왜냐면 세월호 침몰은 같은 날 발생했지만 미수습자가족과 유가족의 근본적인 문제가 해결되지 않은 상황이었기 때문이다.

다시 말하지만 인천에서 제주도 도착을 목표로 수백 명이 함께 출발했는데 모든 법과 절차를 무시한 불법이 원인을 제공해, 295명의 사망자는 시신으로 돌아왔고 나머지 9명은 생사를 증명하지 못한 상황인 것이다. 이는 출발선을 함께 지켜 출발한 탑승자가 잘못한 것이 1도 없이 국가로부터 목숨을 빼앗긴 피해자란 것이다.

9명의 남은 미수습자가족들은 자식과 가족의 유해라도 찾아 장례를 맞이해 좋은 곳으로 보내 주고 싶은 마음이 인간의 근원적 바탕이다. 이것은 한국의 문화, 종교적 의식이 잠재적으로 내재된 죽음과 이별에 대한 정서라고 보아야 한다. 유가족들은 불행 중 다행으로 시신이라도 찾아서 장례를 치르고 좋은 곳에 갔다고 생각을 하거나 억지로 마음을 다잡으려고 하루하루 고통스럽게 버티고 있는 것이고, 미수습자가족들은 시신은커녕 뼈 한 점도 찾지 못해 내 아들과 딸 그리고 가족의 죽음을 인정하고 이별을 준비할 수 있는 마음의 토대가 형성되지 못함으로써 근본적인 문제해결이 안 된 것이다. 이로써 미수습자가족들은 어떻게든 방법을 찾아야 하는 것이 핵심인 것이고, 유가족들은 장례를 다 마친 후 힘들어도 국가와 정부에 책임과 진상규명을 묻는 것이 목표인 것이다.

결국 출발점은 같았지만 함께 목적지에 도착하지 못한 상황,

그 중간지점인 해상에서 미수습자와 그 가족은 잠재적 표류의 상태인 것이다. 그러므로 미수습자가족들은 억울하게 비명횡사 (非命橫死)로 떠난 아들과 딸 그리고 가족들에게 최소한의 도리로 끝까지 해 볼 것은 해봐야 한다는 것이다.

그래서 희생자가족들끼리 서로 얼굴 보면 간단한 이야기는 해도 뒤돌아서면 양쪽 다 불편한 바람만 불었다. 훗날 목포 신항을 떠날 때까지도 이어졌다. 그렇게 미수습자가족들은 불편한 유가족을 조금이라도 부딪치지 않으려 신항 내에서나 이동 경로를 피하거나, 아님 재빠르게 걸어 움직이는 잔신경의 끈을 놓지 않았다.

당시 목포 신항 입구엔 유가족을 포함해 많은 사람들이 있는 관계로 나는 미수습자가족들을 만나는 것이 편치 못했다. 왜냐면 유가족과 미수습자가족들은 대화조차 조심했어야 했기 때문이다. 미수습자가족이랑 있을 때 유가족을 만나거나 인사를 하면 누가 뭐라 한 적 없어도 눈치를 살펴 얼른 그 자리를 떠나야 했고, 유가족이랑 있을 때 미수습자가족을 만나 인사하면 바로 그 자리를 정리하는 것이 답이었다. 물론 그것이 적절하다고 생각하진 않지만 그땐 양쪽 가족들에게 할 수 있는 최선의 배려였다. 그만큼 두 가족 간의 입장과 위치가 달랐다.

목포 신항은 미수습자가족들 간의 밀접한 관계 형성과 화합이 내부적으로 중요하단 생각에 강력하게 개인행동을 자제했던 분위기가 있었다.

하지만 미수습자가족 간의 사이에서도 몇 개 파가 나누어졌다. 학생쪽에서는 여학생쪽 남학생쪽, 그리고 교사쪽, 일반인으로, 미수습자는 총 9명인데 미수습자가족은 4군데로 나눠진 형태였다. 특히 미수습자가족 대표의 파워가 막강했다. 대표라는 감투를 쓰다보니 그에 따른 갑 아닌 갑이 분명 존재했다는 추측이고, 가족들 내에서도 말들이 많았고 그로 인해 서로 간의 온도는 항상 현저하게 달랐다. 그리고 여학생 부모는 거의 함께 움직여 투쟁과 간담회 등의 활동을 했고, 남학생 부모는 거의 함께 이동하거나 의견을 나누었다. 또한 같은 여학생 부모들의 아빠는 아빠들끼리 엄마는 엄마들끼리 동행하는 상황이 많았고 남학생 부모도 이와 같았다. 교사가족과 일반인가족은 동행을 거의 같이 하는 상황이 많았다. 그래서 함께 거처하는 미수습자가족들도 매번 그런 것들로 인해 다소 문제가 되거나 분쟁이 일어났지만 누구도 대놓고 지적을 하지 않거나 싸움을 피하려고 무척 애를 썼다.

나 역시 처음엔 세월호 침몰 304명이 실종자가족이어서 그들에게 손발이 되어드리려 노력했다. 그러나 어느 날부터 유가족이라는 이름으로 전환되면서 재난현장을 떠나다보니, 결국엔 미수습자가족 옆에 손발이 되어 드릴 수밖에 없게 된 것 뿐이었다. 그렇게 세월호가 목포 신항에 거치된 4개월 정도는 미수습자가족들을 만날 일이 있으면 미수습자가족이 외부로 나와 접선 장소에서 만나거나 식사를 함께했다. 여의치 못할 때는 경비실에 메모와 함께 물품을 맡겨 놓으면 미수습자가족이 찾아가 다른 미수습자가족들과 함께 음식을 드시거나 물품을 나누었다.

해가 길던 어느 날 마주하기 쉽지 않았던 미수습자 남ㅇㅇ 학생 엄마가 신항 출입문으로 나오는 것을 보고 무척 반가웠다. 4대독자 아들을 기다리느라 3년 넘도록 말수 자체가 거의 없었고 공식적인 이동 외엔 컨테이너에 있거나 어쩌다 신항 인근에 있는 고하도를 산책하는 것이 일상이었다. 최대한 버티려고 몸부린 친다는 말이 정직한 언어이다. 그렇게 우리는 말없이 고하도 길을 일상적인 대화를 짧게 나누는 것으로 걷고 걸었다. 다른 미수습자가족에 비해 이성적인 중심을 잃지 않으려고 누구보다 냉정한 기본적인 인성과 품격을 끝까지 지킨 엄마였다.

보통의 미수습자가족들은 처음부터 진도실내체육관이나 팽목항 그리고 목포 신항 현장 등을 꼬박 지키거나 아님 자신들의 개인 일정이 있을 때 잠시 오고 갔는데, 그 엄마는 유독 최소한의 시간만 미수습자가족과 자리를 함께할 때만 현장에 있었다. 나는 그런 모습을 멀리서 보거나 때론 가까이 있어도 절대 조급히 다가서지 않으려고 무척 노력했다. 왜냐면 그 부모는 누가 봐도 그냥 혼자 두세요, 라는 말이 얼굴에 쓰여 있었다.

나는 사람 사는 세상이 교과서처럼 이론적인 평행과 조화로 원활하게 소통이 되려면 모든 인류가 그 시대에 맞게 향상되어 성장한 인간이어야 한다고 생각한다. 그러나 재난환경에서 이성적이거나 객관적인 인성과 품격을 유지하고 실행해야 하는 것이 마땅하다고 주장하기엔, 매순간 정상적으로 생각하기 어렵고 받아들여질 수 없는 상황들과 문제들이 일방적으로 발생하는 현장에선 요원한 일이었다.

국가가 국민의 생명을 책임지지 않고 객관적으로 납득된 대응과 문제 해결을 하지도 않은 채, 재난현장에 있는 피해자들에게 정부와 때론 국민들의 여론으로 옥죄이고 핍박하면 그 가족들이 하루 한 시간을 어떻게 제정신으로 살 수 있는가 말이다.

평상시 일상생활을 하면서도 우리는 나와 생각이 다르다는 이유만으로 편을 먹고, 자기방어 아닌 방어로 비상식적인 편가르기를 하고, 자신들의 뜻을 주장하려고 삼삼오오 비겁한 생각과 결과를 만들어 내는 것을 어렵지 않게 보았을 것이라고 생각한다. 지금도 어디선가 그로 인한 피해를 혼자 감당하고 있거나 맞서 싸우기 위해 온갖 괴롭힘을 당해도 법적으로 스스로 밝혀 증명하지 않으면 고스란히 억울하게 당하고 살 수밖에 없는 기울어진 구조이다. 그럼에도 정당한 방법을 찾아 고집스런 노력과 집중을 아끼지 않고 꿋꿋하게 전투해 나가는 국민들이 어딘가에 있으리라 생각하면서 응원하고 싶다.

옛말에 '짐승만도 못한 인간'이란 말이 있다. 즉 편중된 사회적 가치는 법을 무너뜨리고 편파적인 사고와 목적에 부합해 이기적이고 독단적인 부와 권력을 지키기 위해 더 채우려고 자행하는 일부의 사람들로 인해, 매번 성실한 노동과 근로를 통해 법을 준수하고 균등한 질서를 지킨 국민들은 항상 피해를 보는 것이다.

따라서 사회적 개념이 상실된 공동체의식은 악랄하고 잔인한 사고와 실행을 자행하는 범죄로 판을 업그레이드 하면서, 비정상적인 대장 노릇의 게임에 빠져 모든 국민과 국가의 존재 자체를 위협하고 공포를 조성해, 삶의 기본권을 무너뜨리는 것은 국가와 사회의 재난현장이다. 그럼에도 그 원인을 규명하는 길을 철저하게 살펴보면 모든 것이 잘못되고 안전을 지켜내지 못한 숱한 이유들과 문제 뒤에는, 온갖 비리와 부정 그리고 책임을 지는 범죄자의 법은 항상 숭숭 뚫린 그물망 밖으로 잘 준비되어 있고 지금도 뻔뻔하게 잘 빠져 나간다는 것이다.

이런 연유가 반복되는 세상에서 과연 재난현장 피해자인 당사자 가족에게 언제까지 "그만 좀 하지, 지긋지긋해." 라고 하는 국민 분열만 여론몰이 할 것인가? 국가는 언제 진실규명이 되는 국가로 서고 정부는 사회적 재난현장에서 국민의 생명과 안전한 삶을 위해 언제 '안전한 생명의 기본권'을 법으로 만들고 지켜 실행할 것인가?

거치 후 한 달 뒤쯤 세월호 선체 내 3층 객실에서 단원고 여학생의 유해가 수습되었다. 남은 미수습자가족에겐 여전히 지옥의 시간이었다. 머리로는 정말 찾아서 다행이라고 생각하고 축하해 주지만 잠을 이룰 수 없는 고통의 시간들이었다. 그렇게 선체에서 유해가 발견되었다는 해수부 부단장의 연락이 있는 날이면 DNA를 검사하는 그 시간까지 누구도 숨 하나 밥 한 끼 편히 먹지도 못하는 초비상이었다. 그러나 인간은 끝도 없는 시련과 고통의 통증 속에서도 평등하지 않은 날들이 기어이 오고야 만다. 내 딸 내 아들 내 가족이 아닌 DNA가 나왔다고 밝혀진 미수습자가족들은 모두 방 안으로 들어가 한동안 나오지 않거나 그곳을 잠시 떠나기도 했었다. 누구라도 그럴 것이다.

사실 인양 전엔 헤엄을 처서라도 가 볼 수 있는 곳이면 밤을 세워서라도 가려 했는데 그럴 수 없어 애 태우며 여기까지 버텼는데, 이젠 눈앞에 세월호가 있어 만질 수도 있고 내 딸과 아들 그리고 가족이 있었던 선체내부도 들어가 볼 수 있는데, 끝내 찾지 못한다는 공포는 결코 함부로 상상하거나 짐작할 수 없었다. 그렇게 어느 가족은 방 안에서 끙끙 앓기도 하고, 어느 가족은 곡기를 놓기도 하고, 어떤 가족은 링거라도 맞으면서 몸부림치는 날들이 폭풍 몰아치듯 오장육부를 끊어 놓고 갔다.

그 사이 세월호 침몰해역 특별수색 구역에서 미수습자 고창석 교사가 발견되었다. 이런 셀 수 없는 시간들과 과정들이 연속되면서 미수습자는 총 9명에서 6명이 되었다. 미수습자 유해나 유품이 발견되고 DNA가 발표되면 간략한 추모의식이 신항 내에서 이루어졌다. 이때 찾지 못한 미수습자가족들 모두 그곳으로 이동해 함께 추모를 하는 시간이 있었다. 목포 신항에서 미수습자의 이름으로 기다리다 유가족이 되는 게 소원인 그 이름을 들을 수 있는 역사적인 날인 것이다. 보고도 믿을 수 없는 순간이다. 그러나 유가족이란 이름표를 달지 못한 남은 가족들이 밝은 낯빛으로 인사한다는 것은 절대 불가항력이다. 또 앞으로 어떻게 버텨야 할지 누구도 자신 없고 무서운 위협이었기 때문이다.

어느 날 세월호 선체 3층에서 옷과 구명조끼를 입은 상태로 미수습자 일반인 이영숙님이 수색 중 발견되었다. 그러나 그 미수습자가족인 아들은 추가로 나올 가능성을 두고 유해를 목포 신항에 보관했다. 그리고 그전에 약속했던 데로 수색 중간에 유가족이 된 아들은 미수습자가족들을 찾아와 안부를 묻고 위로했지만 남은 가족들이 부담스러워 해서, 마음처럼 남은 미수습자가족 분들을 뵈러 온다는 것이 오히려 죄송한 마음이 들어 어렵다는 이야기를 직접 들었다. 그렇다. 아무리 명분 있는 위로라 해도 재난현장에선 그만큼 위험성이 존재한다는 것을 간과하면 안 되는 것이다. 그렇지만 다양한 방법과 방향을 모색해 위로는 진행되어야만 한다는 명제도 중요하다는 생각이다.

그렇게 미수습자 9명 여덟 가족이 미수습자 5명 네 가족으로 남게 된 목포 신항 세월호 현장은 이미 일부 유해를 찾은 가족이 떠난 상황이었다. 그러나 미수습자가족 대표와 다른 여학생의 가족들은 유해를 찾았음에도 불구하고 여전히 목포 신항에 남아 본인들 자식의 유해가 추가로 발견될 가능성이 있는 수색구간을 요청했다고 들었다. 그런 과정에서 한 점도 찾지 못한 가족들과 이견이 있었다고 들었다. 선체 내 수색구간 환경과 작업공간을 확보해 길을 만들어 가면서 수색을 하는 것이었기 때문에 쉽지 않았다. 게다가 남은 미수습자가족들 모두 똑같은 상황에서 뼈 한 점만 찾기를 소원했기에 수색구간과 횟수를 최대한 균등하게 배치하려고 했다는 내용을 선체조사위원과 미수습자가족들에게 들었다.

　그러나 미수습자가족들은 일부 유해를 찾아 유가족이 된 두 여학생 가족이 목포 신항 내에서 함께 공존하는 것에 대해 불만과 불편함이 지속되었다. 그것은 불 보듯 짐작할 사안이라고 생각한다.

　혹자는 그게 뭔 문제냐고 생각할 수도 있지만 현장을 잘 모르는 말씀이다. 대표라는 것은 말 그대로 미수습자와 가족을 총괄해 대표하는 사람으로 전반적인 수색 및 대내외적 브리핑이나 인터뷰와 내방객들에게도 총괄해 나서는 자리인 것이다. 그래서 미수습자 9명일 때는 미수습자가족 대표로 지금까지 왔지만,

현실적으로 이미 유가족이 된 대표가 자신들의 딸자식 유해를 현장에 남아 한 점이라도 더 찾고 싶은 마음을 개인적으론 이해하지만, 가족대표의 문제는 한번 살펴봐야 할 문제인 것이다.

그것은 뼈 한 점도 못 찾은 가족들이 더 많은데 이미 찾은 대표가 그들보다 더 간절한 마음으로 대표의 역할을 한다는 것 자체가 이견이 나올 수 있다는 것이다. 특히 다른 가족들과의 관계가 원활하거나 신뢰를 얻고 화합이 된 상황들이 여의치 않은 부분이 있었기 때문이다. 이런 부분이 아니더라도 이미 유가족이 되었으니 먼저 그 자리는 남은 가족 중에서 선출해 이끌어갈 수 있도록 하면 좋지 않을까? 라는 생각은 말 그대로 나의 작은 바람이었다. 그러나 예상대로 좀처럼 좁혀지지 않는 시간들이 계속 체바퀴 굴러가듯 지연되고 있었다.

나는 미수습자가족들에게 전화나 카톡 등이 오면 어떤 지역에 있어도 무조건 목포 신항으로 시동을 걸어야만 했다. 어느 날 가족 몇 분들과 신항 인근 고하도를 걸었다. 거의 말없이 걷기도 했다. 그것은 가족 분의 컨디션이나 신항 내 분위기가 살벌했다는 것이다. 굳이 묻지 않고 목소리만 들어도 얼굴색만 봐도 알 수 있는 일이었다. 어느 날엔 경비실에 내가 만든 음식이나 무농약 야채들을 맡겨 놓고 왔다. 때론 신항에서 세월호가 보이지 않는 먼 곳으로 제발 데려가 달라는 가족의 요청에 인근 다른 지역을 다녀오는 것이 셀 수 없을 정도였다.

어느 날 미수습자가족에게 전화가 왔다. 앞도 뒤도 없이 "갔어. 갔어요." 라고 했다. 나는 영문을 몰라 "어딜 갔다는 거예요?" "척하면 삼천리지." 라고 하지만 나는 재차 "뭐가요?" 물을 수밖에 없었다. 그분은 계속 "드디어 방금 전에 갔지." 나는 뜬구름 잡는 말에 "잠깐만요." 라고 했다. 결국 "미수습자가족 대표 여학생 부모와 함께 뜻을 모으고 행동했던 그 여학생 부모도 완전히 갔어요." 라고 들었다. 나는 "그동안 맘고생을 너무 많이 하셨는데 이젠 조금 편안해 지겠네요."라고 대답했다.

대변인

미수습자 남학생 가족에게 전화가 왔다. 목포 신항 인근 커피숍에서 만나자고 한다. 너무 놀랐다. 3년 5개월 만에 단독으로는 처음인 것이다. 그 미수습자가족도 대화를 거의 하지 않았던 편에 속했다.

나는 심상치 않음을 감지하고 진도에서 출발해 신항 인근 커피숍에 도착했다. 그 가족은 단도직입적으로 말했다. "금비단장님은 세월호 처음부터 진도실내체육관, 팽목항, 목포 신항까지 봉사해 주시고, 경비실에 물품도 맡겨 놓고 가거나 늘 관심 갖고 계시다는 이야기를 듣고 전해 준 음식도 감사하게 먹고 있는데요. 대변인을 해 주세요." 나는 너무 깜짝 놀라 말도 안 나왔다. "무슨 대변인이요?" 나는 시간도 필요하지 않은 말이라 바로 거절했다. 그러나 다시 생각해 달라고 재차 권했다. 그러나 시간이 흐른다고 변할 이유가 없다는 생각에 "그것만은 안하겠습니다."라고 했다.

그 가족은 "그럼 제가 무릎이라도 꿇을까요?" 복받치듯 울분
이 터질 듯했다. 나는 흔들림 없이 "다른 분들이 많을 거예요."
라고 했다. 그 가족은 "없어요⋯. 금비님 같은 분이 없어요." 라
고 했다. 나는 뭘 잘못 들었나 싶은 생각에 3년도 넘는 세월이
주마등처럼 지나갔다. "외국에서 달려와 주신 봉사자 분들까지
하면 얼굴도 다 기억 못해 죄송할 정도로 너무 고맙고 감사한
분들이죠. 금비단장님이 이해할지 모르지만 이젠 우리 가족들
은 아무도 못 믿어요. 아니 믿을 수 없어요." 하면서 갈등을 겪
었던 여러사항을 간략하게 설명했다.

나는 "그동안 실종자가족이든 유가족이든 미수습자가족이든
누구 하나 진심으로 제 마음을 받아주신 가족이 과연 얼마나 될
까요? 지금도 그런 말 하지 않나요? 정부에서 빨대 꽂은 사람이
라고? 아님 유가족에서 빨대 꽂아 놓은 것 아니냐? 그것도 아니
면 어떤 외부 단체에서 꽂아 놓은 것 아니냐? 게다가 제 면전 앞
에서 자식새끼가 죽은 것도 아니고 가족이 죽은 것도 아닌데 왜
그렇게 누명쓰고 욕먹으면서 봉사를 하냐고요?" 나는 세월호 봉
사 이래 최초로 묵은 말들을 내놓았다. 잠시 침묵이 흘렀다. 그
가족은 내게 우리 가족들도 항상 그렇게 생각하고 이야기 하면
서도 금비단장님이 봉사하는 것은 다 받았죠. 그렇게 생각하면
우리들이 나쁠 수도 있는데⋯." 나는 기막힌 세월이 하얀 폭설

같았다.

그 가족은 "세월호 직후부터 미행당하고 별의 별짓을 다 겪어보았는데 금비단장님처럼 우리들 곁에서 한결같이 진심인 사람이 없다는 것은 우리 가족들의 똑같은 의견입니다. 그것을 우리가 알면서도 끝까지 의심을 하지 않을 수 없었어요. 그 부분에 대해서 잘한 것은 없지만, 그만큼 우린 항상 공포 속에서 헤쳐나가야 했던 것을 변명 같지만 한 번만 이해를 해주세요. 금비단장님은 사고 날 때부터 지금까지 단 한 번도 우리 곁을 떠난적 없잖아요. 그래서 우리들 머리에서 발끝, 그 이상 우리들 밑바닥까지 다 알고 있는 유일한 사람이잖아요." 라며 내 속을 훑다 못해 작살난 심장에 짚불을 놓는 것이었다.

"이제 우리가 잘할 테니 미수습자가족 대신 정부와 싸워도 주시고 항변도 해 주시고 제발 내 자식이 있을지 없을지도 모르는… 아마… 그래도 부모가 먼저 포기를 할 수 없으니 제발 좀 도와주세요. 특히 우리들이 눈 뜨면 봐야 하는 저 세월호를 보면 정말 견딜 수 없어요."

나는 저렇게 피 토하듯 간청하는 그 가족이 어떤 마음인지 충분히 짐작하고도 알기 때문에 잠시 침묵이 흘렀다.

다 식어버린 차 한 모금을 마시고 결국 떨어지지 않는 입을 뗴었다. "알겠습니다…, 다만 신뢰가 금가는 일이 발생하면 바로 대변인에서 손 뗴겠습니다." 말했다. 그러나 훗날 몇 번의 위기가 있었지만 끝까지 대변인을 놓지 못한 나로선 '세월호로 출가' 한 이상, 지면에조차 실을 수 없는 숱한 고통의 말을 삼킨다.

2017년 9월 중순 그 가족에게 연락이 왔다. "본명, 주민번호, 차량번호를 알려주세요"라며 "단, 미수습자가족 대표 엄마와 다른 여학생 엄마가 현장을 정리하고 올라간 즉시 대변인을 해야 한다."고 했다. 며칠 후 내게 대변인을 부탁한 그 가족이 미수습자가족 대표로 선출되었다. "목포 신항 경비실에 해수부를 통해 출입사항을 준비해 놓았으니, 앞으로 미수습자가족들을 위해 현장이 끝날 때까지 모든 것을 잘 대변해 주길 부탁한다."고 했다.

나는 여러 가지 착잡한 마음에 진도에서 목포 신항까지 가는 길이 너무 멀고 복잡했다. 정말 벼랑 끝에 서 있는 미수습자가족들과 정부 사이에서 과연 내가 할 수 있는 일은 무엇일까? 국민들이 납득할 수 있는 정점과 원론적인 근간을 두고 깊은 고심에 빠지지 않을 수 없었다. 진도대교 위에서 이순신장군 동상을 바라보면서 미수습자가족 대변인으로 걸음하는 모든 발자국 하나하나가 공정한 규범 안에서 균등한 재난 인권을 보장 받고 그 권리를 쟁취하기 위해 물러서지 않으며, 항거할 수 있는 중도적 대의를 갖고 누구의 편이 아닌 건전한 의식으로 대변인의 길을 만들어 갈 것을 결심했다. 미수습자가족들은 피해자인데 정부 눈치 보랴, 지역 군민 눈치 보랴, 게다가 원성 높은 국민들의 여론 살피랴, 결국 수백 명 목숨을 빼앗긴 재난현장에서조차 오롯이 피해자가족들이 견뎌내고 버텨내야만 하는 비통한 상황이었다.

세월호 인양 전 해수부에서 연락 온 적이 있었다. "초창기부터 봉사한 금비단장이 가족들을 누구보다 잘 알 수 있을 듯해서 고견이 있으면 참조도 하고 부족한 게 있으면 준비를 하고 싶어 이런 자리를 마련했다." 라고 말이다. 나 역시 국민의 한 사람이면서 세월호 현장에서 봉사한 사람이기에 몇 가지 소통을 하면 좋겠다는 생각에 동의했다. 당시 팽목항엔 유가족들이 분향소와 가족회의실, 가족식당, 화장실 등을 사용하면서 관리하고 있었고, 안산엔 4.16 가족협의회가 여러 활동을 하는 상황이었다. 다만 팽목항엔 미수습자가족 대표 여학생 부모들이 거주하면서 유가족들과 중간 중간 거친 말들도 오갔고, 어떤 미수습자가족은 유가족과 크게 말다툼을 한 뒤 그길로 안산으로 올라가 한동안 팽목항엔 내려오지 않기도 했던 사례들이 있었다.

나는 가장 먼저 해수부 관계자들에게 미수습자가족들은 오랫동안 팽목항 바다를 앞에 두고 컨테이너 생활로 건강이 많이 악화되었는데 또다시 목포 신항에서 컨테이너 생활을 해야 하는 대안을 만들면 건강이 해칠 염려가 많고, 심지어 인양 후엔 세월호가 바로 앞에 있는 상황에서 컨테이너 문고리만 열면 내 아들과 가족의 뼈 한 점을 찾을 거라는 희망고문과 행여 찾지 못하면 어떻게 하나? 라는 절망고문이 시시때때로 교차되는 위험하고 잔인한 환경이라고 했다. 그리고 팽목항에선 새벽 밤중으로 화장실을 가기 위해 차디찬 바닷바람을 맞으며 깜깜한 두려움들을 겪어야 했던 환경을, 목포 신항에서 그 이상으로 고문하는 것은 대통령이 바뀌고 정부도 바뀌었는데 그만해야 하지 않겠냐? 라고 강력히 주장했다.

해수부 담당은 내게 혹시 생각하는 대안이 있는지 물었다. 나는 당연히 진작부터 대안을 갖고 있었다. 항상 봉사하면서 보고 느낀 것이 있었기 때문이다. 미수습자가족들이 목포 신항 안에서 컨테이너를 사용하면 말 그대로 하루 종일 세월호를 앞에 두고 견뎌야 하는데 결국 어떤 생각이나 감정도 벼랑 끝 감정으로만 치달을 수밖에 없는 시공간적 환경이 매우 위험한 환경이라고 했다.

팽목항에선 1시간 30분 정도 배를 타고 가면 세월호가 침몰한 곳에 부표가 있어 그나마 막연한 희망을 걸고 버틸 수 있었지만 목포 신항 현장은 사방이 막힌 보안구역이고, 내 딸과 아들 그리고 가족의 목숨을 뺏어간 세월호가 바로 눈앞에 있어, 그동안 경험하지 못하고 상상할 수 없는 고통을 겪어야 하는 제3의 재난환경이 된다는 점을 강조했다. 특히 목포 신항에선 언젠가 미수습자 수색이 끝난 시점이 다가올 수밖에 없다. 분명 미수습자 9명을 다 찾지 못했을 경우엔 마지막 끝을 볼 수밖에 없는 것인데 이것이 바로 절망적인 고문의 막다른 재난환경 그 자체라고 했다.

따라서 재난환경을 분리해 미수습자가족들에게도 숨구멍을 주고 훗날 미수습자를 다 찾지 못했을 때를 대비해 현장 밖에 임시거주 환경을 제공함으로써 대안이 될 수 있을 거라고 했다.

미수습자가족들도 컨테이너 생활보다는 외부 거처가 정신적, 심리적, 육체적으로 자유로워 훨씬 유용하고, 정부 입장에선 수색기간을 어느 정도 예측할 수 있기 때문에, 돈으로 환산할 수 없는 그 이상의 효과를 예상할 수 있다고 했다.

결국 국가와 정부가 수백 명의 목숨을 뺏어간 재난현장에서 피해자에 대한 시각과 가치를 진지하게 직시하지 않는다면, 세월호 인양 후 거치해 과연 몇 명의 유해가 발견될지 모르지만 그 이후 찾지 못한 미수습자가족들에게 어떤 상황이 발생할지 누구도 장담할 수 없다고 했다. 훗날 미수습자를 다 못 찾은 상태에서 정부와 대결할 수밖에 없는 각고의 투쟁이 될 때 세월호 침몰 역사상 가장 뼈아픈 시간일 것이라고 첨언했다.

왜냐면 선체 내에 유실 방지막을 했다고 해도 꼼꼼하게 하거나 방대한 세월호 전체를 다한 것도 아니고 게다가 인양 후 목포 신항으로 이동하면서 미수습자가 유실되지 않으리란 보장이 어디에 있는가이다. 이 부분이 팩트라고 했다. 그런 연유로 유해를 못 찾은 미수습자가족들이 언젠가 가족의 품으로 돌아가야 할 날이 올텐데, 컨테이너보다는 외부 거처가 일상회복에 도움 될 거라고 했다. 그리고 보안구역에서 미수습자가족들을 외부와 차단시킨다는 것 자체도 최소한의 인권에 문제가 될 수 있다고 했다.

해수부 담당자는 "금비단장님은 어떻게 그렇게 잘 알고 있나요? 근무하는 저희들보다 더 속 깊이 잘 알고, 누가 해수부 전문담당자, 미수습자가족 대변인이라고 해도 당장 추진할 만큼 매우 뛰어난 관찰력과 합리성까지 뭐 하나 부족한 것 없이 완벽한 브리핑에 정말 놀랍고 고맙습니다." 라고 하면서 "이렇게 조언을 요청하길 잘했다는 생각이 듭니다." 라고 했다. 나는 오랫동안 봉사하면서 가족들의 고통을 옆에서 다 지켜보았고 뼛속까지 접한 재난현장 피해자의 인권과 환경에 대해 깊은 고심을 했던 것들이 많았다. 그리고 대전에서 진도로 봉사를 다니면 목포신항 앞을 지나 운전을 하게 되어 조금 잘 알고 있을 뿐이라고 했다. 나는 세월호가 인양된 이후 목포 신항에 거치하는 사안이 될 경우 그곳 인근 오피스텔이 가장 적절할 것 같다, 라고 추천했다. 그러나 해수부 측은 "주변에 모텔들이 있지 않나요?" 라고 했다. 나는 다소 격앙된 목소리로 "가뜩이나 지쳐있고 모든 것이 부정적인 심리에 오래 시달린 피해자들에게 온갖 소리 다 들리는 그런 곳은 재난피해자가 마지막으로 버텨야 하는 환경이 아닙니다." 말씀드렸다.

사실 오랜 시간이 지남으로 인해 국민들의 마음이 엇갈린 상황에서 어떤 것이든 국민 세금으로 진행될 것이고, 그러다 보면 한 가지라도 무리수를 줄이면서 국민들이 세세하게 모를 수 있는 피해자 미수습자가족들의 당면한 고통을 일부라도 줄여가는 것이 마지막 도리가 아닌가, 라는 생각을 했다.

　그후 미수습자가족 대변인의 자격으로 목포 신항의 차량 진입이 저절로 통과되면서 세월호를 바라본 순간 만감이 교차되었다. 그렇게 미수습자가족 대변인으로 걸음한 첫날이 시작되었다.

두고 온 내 아들

세월호 인양 후 일반인 미수습자 이영숙님의 유해가 발견되었다. 그러나 4개월이 지나도록 남은 미수습자 5명을 찾지 못하게 되면서 결국 이영숙님의 장례를 준비하기 위해 미수습자가족인 아들이 또 다시 목포 신항에 왔다. 너무 애달픈 마음이었다. 왜냐면 그 엄마와 아들의 사연이 남다르기 때문이다.

나는 이영숙님의 유해가 발견된 어느 날 미수습자가족인 아들에게 전해주고 싶은 마음에 글을 썼다. 다만 그 가족이 받아준다면 전해줄 수 있으나 그 또한 인연이 아니면 도리가 없다는 마음이었다. 세월호가 마주 보이는 컨테이너 가족회의실로 들어가 흰 고무가 달린 연필 하나를 가방에서 꺼내 종이 한 장에 적어 내려갔다. 뭐랄까. 아들과 끝내 상봉하지 못한 채 영영 떠난 엄마의 마음에 연필심지로 노를 저었다. 그렇게 써내려간 편지 한 장을 미수습자가족대표에게 전했다. 그 가족에게 전해달라고 말이다. 그날 오후 대표는 "이영숙님이 부산 장례식장으로 떠나기 전 미수습자가족들과 관계자 몇 분 모시고 추모식을 할 예정인데 그때 직접 글을 낭독해 주시면 감사하겠다."는 가족의 말을 전해왔다.

나는 귀한 자리에 예의를 다하고 싶어 연꽃 수가 놓인 백색의 한복을 정성스럽게 다림질하고 동정도 새로 달았다. 그동안 침몰현장에서 시신이 운구되면 팽목항 임시천막에서 간략한 추모의식을 갖고 각자의 거주지인 장례식장으로 운구되었다. 마지막 실종자 단원고 황지현 학생도 그렇게 팽목항에서 마지막 추모식을 했다.

세월호 거치 후 목포 신항 현장 수습 관계자들은 폭염 중에도 거르지 않고 선체내부를 샅샅이 수습해 미수습자 9명 중 4명의 유해를 일부 수습했다. 그 중 3명은 추모식을 마치고 각처에서 장례식을 이미 마쳤고, 다른 미수습자들의 유해를 더 이상 찾지 못한 상황에 이영숙님의 마지막 추모식은 보통 일이 아니었던 것이다. 왜냐면 뼈 한 점이라도 찾아 이런 추모식과 장례식을 통해, 좋은 곳으로 잘 보내주면 여한도 없다는 것이 남은 미수습자가족의 소원이었기 때문이다.

그토록 세월호 유가족 299명 안에 들어가고 싶은 엄마, 아빠, 가족의 마음을 과연 욕심이라고 비난할 수 있을까? 이젠 누구를 붙잡고 사정할 사람이 천하(天下)에 없다. 마지막 소원 하나인 유가족이란 그 이름을 영원히 빼앗아간 박근혜 대통령과 정부 그리고 각계각처 현장 담당자들인 것이다. 나는 어느 때보다 무겁고 침통한 마음 금할 길 없었다. 세월호 침몰 3년 6개월이 넘도록 하얀 거짓말들로 쌓아 올린 모래탑은 아직도 무너질 줄 모르고 있으니 통탄할 뿐이다.

추모식이 거행되었다. 나는 한 글자 한 글자 담담하게 읽어 내려갔다. 어디선가 눈물이 툭 툭 패이는 소리가 들린다. 고개 숙인 남은 미수습자가족들의 모습을 보는 순간 내 가슴도 패여 미어졌다.

왜 세월호 침몰에 가장 큰 피해자 미수습자가족이 고개를 숙여야만 하는가.

두고 온 내 아들아

진도 울돌목 모퉁이 지나
벽파항 돌고 도니
연화대 뒤뜰, 댓잎처마 밑
금골산 아미타부처님

맹골수도 둘러싼 세월호야

애끓는 천일 가슴

저민 분노 뿐인데

저 눈먼 불야성 귀먹은 독선

어이할거나

두고 온 내 아들내미

핏빛 물든 연필 움켜쥐고

설산 소리 불러 두들기면

진도 병풍도 너머 그리운 편지 띄울 수 있을까

억만리

물안개 길 건너지 못해

애월에 작은 초가집 한 칸

두고 온 아들아

배냇저고리

처음 입혀주던

백옥 같은 화선지 벗 삼아

소나무 그려줄까나

아들 찾지 못한 쓸쓸한 벼루

목포항 불빛 사이로

두고 온 정나미들을 어이하여 지울거나

들에 핀 들꽃 한 아름 안고

와자지껄 잔치상 둘러 앉아

울 아들내미 도포자락 위에

밤 대추 던져주고

곱게 손 저어 떠나면 좋으련만

보고 싶은 내 아들내미야

어서 든실한 손주도 안겨주고 재잘대는 손녀도 안겨주렴

그래야 엄마도 심심치 않고 아들 바쁠 때 업어도 주지

잘 살아라

웃고 살아라

이 못난 어미 몫까지 내 아들아.

미수습자가족

대변인 자격으로 목포 신항 보안구역에 들어가 정부를 대신한 해수부 관계자와 인사를 나눈 뒤 안내를 받았다. 미수습자가족이 사용할 컨테이너를 안내해주었다. 나는 그중 세월호 전면이 바로 보이는 곳을 가족회의실로 사용하는 것이 적합하다고 했고, 맞은편에 자리 잡은 컨테이너는 휴게실 정도가 적절하다고 했다. 가족회의실 내부 구성은 기본적으로 회의 책상 및 의자를 최소 10인 정도 준비하는 게 좋겠다고 했고, 간단한 음료 및 스낵과 생수는 해수부 담당자가 일임했는데 얼마 후 직접 했고 작은 냉장고 하나가 있었다.

나는 팽목항 분향소에 있는 영정 사진 사이즈를 좀 더 크게 만들어 미수습자 5명의 액자와 직사각형 책상을 가로로 연이어 3개 정도를 만들자고 해수부에 제안했다. 또한 미수습자가족이 모두 동의해 5명의 미수습자 이름을 새긴 노란연꽃 초를 각각 준비했고, 세월호 침몰 당시 제주도 어느 사찰로 시주하려고 화물로 보냈으나 단 한 권도 전달되지 못했던 그 '법화경(法華經)'이 인연이 되어 세월호를 바라보며 현장 철수할 때까지 매일 독경했다.

미수습자가족 거취는 대변인 이전 봉사자 신분이었을 때 강력하게 제안했던 그 오피스텔로 결정된 것을 알게 되었고, 미수습자가족들이 목포 신항 현장과 거처하는 장소가 달라 안전을 고려해 해수부 차량이 이동을 책임졌다. 그렇게 아침 전체회의가 매일 진행되었고 점심식사나 병원 진료 외엔 하루 종일 함께 컨테이너에서 미수습자가족끼리 아님 해수부와 개별 회의 등을 했다. 초창기엔 식사를 외부 식당에서 3식을 했고 중간엔 현장 안에 임시식당을 만들었지만 이후엔 다시 외부 식당에서 식사를 해결했다.

나는 목포 신항 인근 오피스텔 도착 후 이전 해수부 관계자에게 미수습자가족들의 방을 층수별로 분리해 주길 추천했었는데 다행히 그렇게 배정된 것을 확인할 수 있었다. 그리고 기본적인 생필품은 핸드폰 메모지에 저장한 것을 해수부와 공유했고, 그중 구매할 것과 다른 곳에서 이동해도 될 것을 분류했다. 사실 사람 입이 하나면 다 한 가지씩 필요하지만 최대한 알뜰하게 점검하고 준비했다. 국민들의 세금이니 당연한 일이라고 생각했다. 이불, 베게는 필수적이지만 따뜻한 물을 끓이는 포트와 전자레인지가 문제였다. 해수부와 이견이 있었다. 내 생각엔 포트와 전자레인지는 꼭 필요했는데, 가족들이 식당 밥을 먹는 것도 한두 번도 아니라 식당 밥을 힘들어 할 수도 있고, 아님 밤새 잠을 못 자고 설치다가 새벽 늦게 겨우 잠드는 경우가 많아, 아침을 선호하지 않거나 아침을 거르는 경우도 있을 수 있다는 생각에, 개인적으로 누룽지나 컵라면이라도 끓여 먹을 땐 필요하다는 생각을 했다. 훗날 정말 효자 노릇을 톡톡히 했던 용품이었다.

해수부 가족담당자와 이견이 있었다. 오피스텔 창문이 큼직해 가족들의 답답한 심정을 위로하기엔 다행이었으나 그러나 양면의 칼날처럼 그만큼 햇빛이 들어오는 양이 엄청 많았다. 보통의 경우라면 나 역시 말도 꺼내지 않을 수 있다. 그러나 앞서 말씀드렸듯 미수습자가족들은 특히 수면의 질이 완전 떨어져 힘들어 하는 가족이 대부분이고 오죽하면 해수부 관계자들도 아침 인사가 "잠은 좀 주무셨어요?" 라고 할 만큼이었다. 결국 해수부 가족담당자는 어렵다고 했다. 나 역시 안타까운 마음은 있어도 가족들의 수면과 깊은 관계가 있고, 게다가 오랫동안 팽목항 컨테이너 생활에 몸이 안 아픈데 없어, 병원 진료가 있거나 힘들 때는 회의도 참석 못할 만큼 끙끙 앓고 했던 사례가 있었다. 그렇기에 분명 이곳에서도 그런 사례는 허다할 것이란 확신에 물러설 수 없었다. 그래서 제일 저렴한 천 조각이라도 요청했으나 좁혀지지 않았는데, 당시 현장수습 부단장으로 새로 오신 분에게 재요청했더니 직접 블라인드를 구매했다는 것을 후에 알았다.

참 이상한 일이다. 나는 뭔가 이상하단 생각에 해수부와 전남도청 담당자들에게 알아보았다. 역시나 찜찜했었는데 이런 부분이었다. 미수습자가족 지원담당은 해수부가 전면에 있었지만 오피스텔 사용과 가족들 식사 및 일부는 전남도청에서 일임해 책임진 것을 알게 되었다. 애초 해수부에서 안내를 명료하게 했으면 내가 직접 소통해 문제를 줄이고 원만한 소통을 얼마든지 했을 텐데 말이다. 그 이후 문제가 발생되면 나는 해수부에 직접 묻는 경우가 반복되었고 해수부는 미수습자가족들 차량지원과 선체 내 수색 관련 제반사항 및 유해 발견 시 해경과 국립과학수사연구소 연계 등등의 업무로 선을 그었다.

훗날 해수부 직원은 오히려 대변인이 직접 미수습자가족들이 불편을 겪지 않도록 세세하게 준비하는 것은 물론 문제 발생 시 일일이 대응을 완벽하게 진두지휘 해줘서, 해수부 입장에선 여러 가지 곤란했던 문제들이 많았는데 정리해 줘서 너무 감사하다는 인사를 했고, 전남도청 담당자 역시 같은 내용이었다.

나는 일이라는 것은 어떤 것이든 항상 문제가 발생할 요건들은 내재하고 있고 발생 시점이나 환경이 다를 뿐이라는 생각을 기본적으로 갖고 있었다. 다만 그런 문제가 발생되지 않으면 감사한 일이지만 세상일은 그렇지 않다. 하지만 일은 되게끔 하라고 인간이 진화 발전하는 것이지 일을 망치거나 퇴보시키려고 애써 잠도 줄여가면서 일을 하는 것은 아니지 않은가?

　미수습자가족들의 기본 생활은 오전 8시 오피스텔 주차장 앞 집합 후 인근 식당으로 이동했다. 초창기엔 아침식사 하는 식당이 인근에 전혀 없어 굶고 편의점 이용하는 것으로 대체하기도 했다. 그땐 전기용품이 가족들 방 호수별로 배정이 안 된 상태라 도리가 없었다. 식사 결재는 전남도청에서 했지만 초창기엔 해수부가 식사 장소를 선정해 가족들을 차량으로 이동했고 결재하던 구조였다. 이렇게 몇 번을 반복하다보니 해수부도 힘들고 가족들도 여러 가지 불편 사항이 있어 대변인인 내가 가족들에게 일일이 끼니마다 식사 메뉴 의견을 조합해 다수의 의견이 많은 식당으로 가는 시스템으로 바꾸었다. 다행히 가족들은 대변인이 가족들의 식성을 잘 알고 있어 고르게 먹게 되어 입맛이 없어 억지로 밥을 먹는데 좋다고 했고, 대변인이 다른 할 일도 많은데 일이 너무 많아지는 것 아니냐, 라고 웃을 일 없는 사막 같은 이곳에서 한번 스치듯 웃어보았다.

　훗날 해수부도 대변인이 알아서 해결해 주니 문제해결 능력이 탁월하다는 인사를 했는데 내 생각은 좀 달랐다. 내가 문제해결 능력이 좋았던 것이 아니고 미수습자가족의 입장에서 집중했기 때문에 적어도 몸은 힘들어도 내겐 쉬운 일이었다는 것이다. 그렇게 해수부 차량은 해수부 담당직원이 1일씩 순번을 정해 교대운전을 하고, 행안부에서 파견 나온 직원이 동행했으며, 아침식사 후 오피스텔 주차장에 도착하면 간단한 양치 후 9시 40분에 주차장에서 다시 만나기로 약속하고 각자 방으로 이동했다. 그때 나는 진도에서 자동차를 운전해 오피스텔 주차장에서 만났고 저녁엔 다시 진도로 운전해 가는 출퇴근의 형식이었지만 늦게 진도로 가는 날도 많았고 주말도 거의 없었다.

미수습자가족들은 오전 10시 전체회의가 매일 있었고 일요일은 제외되었는데 끝으로 가면서 토요일도 제외되었다. 전체회의는 대략 20분 전후로 마친다. 짧은 날엔 10분 정도로 끝났다. 그러나 어느 땐 오후에도 재소집해 전체회의를 했다. 긴급 사안이거나 예민한 선체 문제로 인한 수색의 방향 등이 있을 때 그랬다. 전체회의는 말 그대로 전체가 한 자리에 모여 의견을 제시하거나 수색과 수습 상황을 공유하고 문제를 해결해 나가기 위한 대화의 공간이어서, 미수습자가족회의실 보통 크기의 컨테이너 8개 정도를 합쳐 놓은 정도의 회의 장소였던 것 같다. 그곳엔 미수습자가족, 해수부, 유가족, 선체수색 및 수습 총괄 담당자, 선조위, 특조위까지 대략 20명 정도의 인원이 매일 회의를 했다. 미수습자가족들은 대변인이 미수습자가족 전반의 문제를 관리 감독 및 해결을 위한 방법을 제시해야 하는 총괄적 임무에 대한 안건을 해수부에 제안해 참석을 했다. 나는 그 살벌하다는 전체회의를 미수습자가족들과 참석을 했는데 분위기가 압도적으로 거칠고 한때는 회의가 멈출 정도의 순간도 있었다.

　해수부를 비롯해 각각의 위치에서 자신들의 작업과 임무에 대해 철저한 자료 준비는 기본이고 그에 합당한 의견과 발표가 시간별, 수색구간별, 작업진행별 등 매우 구체적이고 정확한 숫자와 자료를 일일이 제시하고 진행 정도를 세부적으로 발표해 각 업무 진행팀별로 전체회의는 진행되었다. 이후 전체회의가 끝나면 미수습자가족들이 가족회의실로 모이는 동안 나는 서둘러 간단한 스낵과 차를 준비한다. 왜냐면 매일 해수부와 단독회의가 10시 30분부터 진행되기 때문이었다. 기본적으로 회의는 미수습자가족들이 이전에 의견 제시한 사안들에 대한 피드백을 먼저 했다. 예를 들면 전날 선체 내 수색 과정이나 구간에서 문제점이 나왔거나 아님 수색하는 방법이나 구간의 조정 등 무엇보다 최우선 과제는 미수습자 유해 수습이 먼저였기 때문에 가장 중요한 사안이다. 그래서 이때만큼은 가족들이 긴장하고 때론 큰 소리가 오가거나 매우 불편한 심정이 서로 팽팽했다. 특히 대변인으로서 해수부와 가장 많은 대화가 이뤄지기도 한 시간이다. 때로는 미수습자가족들이 있는 자리에서 대놓고 말하기 어려운 말들은 따로 해수부 사무실에 가서 면담하거나 아님 담당자와 엄청 불편한 대화를 할 수밖에 없었던 사건들도 있었다.

　어느 날엔 전체회의 중 미수습자가족 입장에서 염려가 되는 사안이 있어 질문을 했다. 그런데 회의를 마치고 난 이후 해수부를 통해 유가족 측에서 브레이크를 걸었다고 전했다. 미수습자가족들은 불쾌한 시간이었다. 나는 정말 안타까웠다. 어딜 가도 텃세가 있어 법 아닌 법보다 우선하는 현실이 기막혔는데, 재난현장에서 가장 고통스러운 미수습자가족들이 요청해 전체회의를 참석했는데 다른 사람도 아닌 유가족이 태클을 걸었던 것이다. 따라서 미수습자가족들은 매우 화가 났지만 참는 것은 뼈 한 점 못 찾은 가족의 몫이었기 때문에 그날도 참는 의견으로 모아졌다. 항상 그랬다. 같은 실종자였는데 어느 날 유가족이란 이름으로 바뀌면서 그들 가족의 힘이 더 세지고 말의 힘은 무조건 기울어졌다. 그날 이후 전체회의 참석할 때 질문할 사항은 대변인이 미리 가족들에게 메모해 주거나 말로 전하는 방법으로 미수습자가족들의 발언이 있었다.

그렇게 전체회의는 가족들과 나를 포함해 20명 정도로 이어졌고 사상 최초 폭염 40도가 웃도는 날씨가 되었다. 당시 목포신항 시멘트 바닥에 계란을 터트리면 후라이가 될 정도로 선체 수색 및 여러 작업들이 진행되기가 어려울 정도로, 모든 관계자분들 할 것 없이 선체에서 나온 토사를 분리하는 작업자들의 노고가 이루 말할 수 없을 정도로 힘든 나날들이었다.

어느 날 전체회의를 마치고 가족회의실에서 해수부와 회의도 마치고, 내방자 면담 일정 대기 중 잠시 시간이 있어 이런저런 이야기를 하고 있었다. 그런데 이게 웬일인가? 뭔 큰 소리가 이상하게 들린다. 우리들은 서로 얼굴을 보면서 이게 뭔 소리지? 밖을 보았는데 점점 격한 소리가 들려 반사적으로 일어나 컨테이너 손잡이를 열어 고개만 오른쪽으로 돌렸는데 경악을 했다. 나도 모르게 "크 큰일 났어요. 어떻게 하죠. 저러다 일 나면 안 되는데." 라고 뱉은 순간 가족들이 살짝 고개를 빼고 그 장면들을 보았다. 그런데 이게 무슨 일인가? 가족들은 내가 생각하는 것만큼 놀라는 기색이 전혀 안 보였던 것이다. 오히려 내게 뭔 일 당하면 안 되니까 컨테이너에서 나가지 말라고 당부했다. 그러나 나는 너무 위급하단 생각에 다시 문을 열고 나갔다. 그렇지만 이미 사고가 터진 상황이었다. 그것은 바로 전체회의 때 대변인이 질문한 것을 제지했던 바로 그 유가족이었던 것이다. 해수부 등 여러 명이 있었으나 누구도 통제가 어려운 상황이었다. 당시 어떤 연유인지 알 수는 없으나 그 유가족 분이 일방적으로 소화기를 들고 흔들어 주변에 있는 사람들에게 휘두르며 위협하고 공격하는 상황에 해수부 담당 직원의 바지가 해졌던 기억이 난다.

한바탕 큰 소동이 발생하고 나는 가족회의실로 돌아와 가족들과 남은 대화를 이어가는데 미수습자가족들은 그 유가족에 대해 어느 정도 아는 것처럼 특별한 말을 내뱉지 않으려 애쓰셨던 기억이 있다. 결국 그 유가족 분은 예전부터 많은 사건들로 인해 걱정되어 병원 치료를 권했는데 당사자가 꾸준하게 치료를 받지 않아 여의치 않다는 가족들의 이야기를 듣게 되었다.

그렇다. 세월호 사고 후 시신을 찾아 불행 중 다행으로 유가족은 되었지만 시신도 찾지 못한 미수습자가족 앞에서 그런 과격한 언행을 지속하는 것은 제 2차, 3차의 재난이 아닐 수 없다. 미수습자가족들이 세월호 인양 후 절체절명의 선상에서 마지막 수습을 하고 있는 현장인데, 정작 그 유가족은 무슨 이유로 사고를 낼 정도로 그런 언행을 해야만 했었는지 말이다. 그 유가족의 입장에선 중요한 내용일 수 있지만 미수습자가족의 심정 자체를 조금이라도 헤아렸다면 다른 방법으로 얼마든지 본인의 뜻을 표현할 수 있지 않았을까? 안타까운 제3의 재난현장이었다.

어느 날 외부에서 모 기관장이 미수습자가족을 방문한다는 사안을 미리 공지 받아 가족들에게 전달해 그 시간을 대기하고 있었다. 참고로 이 시간은 가족들이 극도로 스트레스가 많은 시간이라고 해도 과언이 아니었다. 그러나 대변인 입장에선 바로 옆 마을에서 방문하는 것도 아니고 각계 고위관료들이 해수부와 미리 공문으로 주고받거나, 전화로 미수습자가족의 일정을 조율해 방문하는 것인데 신경 쓸 것이 한두 가지가 아니었다. 하루에 한번 공식적인 일정이 있는 경우는 매우 양호하지만 하루에 몇 차례씩 방문 면담 일정이 있을 때 가족들의 병원 진료시간 조정이나 컨디션이 여의치 않으면 정말 답이 없었다. 그렇다고 번번이 내방자에게 설명하기도 적절하지 않았다. 특히 종일 이래저래 오가다 엉덩이 붙일 새 없이 지쳐 미수습자가족들이 숙소로 잠깐 쉬러 들어간 지 몇십 분도 안 되었는데 갑자기 방문하거나, 미리 일정에 있었는데 해수부가 대변인에게 임박해 전달한 경우엔 완전 답이 없었다. 오죽하면 대변인인 죄로 미수습자가족들에게 통사정해 겨우 공식일정을 소화한 적도 있었다.

나는 미수습자가족들을 위로한다고 찾아온 내방객들인데 뭐 그렇게까지 할까? 라고 생각했지만 이해가 가고도 남았다. 왜냐면 미수습자가족들은 사고 당시 진도실내체육관에서 일명 '컵라면 사건'부터 시작해 현장을 찾아온 사람들은 국무총리부터 웬만한 국회의원과 장, 차관, 기관장 그리고 정치인까지 게다가 각 지역에서 찾아 주신 많은 분들이 너무 감사한 입장은 변함이 없지만, 그에 따른 결과를 수확하기엔 턱없이 부족한 만남들 속에 너무 지쳐 불필요한 시간이라는 생각까지 할 수밖에 없는 현실이었다. 특히 내방자가 오면 우리처럼 일반 서민도 아니기에 언론보도는 필수이고 그러려면 기자들이 출입하는데 한편으론 국민들의 여론이 좋지 않은 것을 알고 있기에 괜히 국민들 심기를 불편하게 할 수 있고 자신들의 입장이 왜곡될까, 서로 대놓고 말은 못하고 무척 힘들어했다. 그래서 어느 시점부터 단원고 남학생 부모는 한두 번씩 빠지더니 나중엔 대놓고 외부 면담 자리는 참석하지 않는 경우가 대부분이었다. 그렇게 하다 보니 교사가족과 일반인가족이 목포 신항에 내방하신 분들에게 각종 면담을 하고 인사를 드리게 되었다. 그렇게 정관계가 찾아오는 면담의 자리에 참석하지 못하는 미수습자가족도 힘들고 나름 그 자리를 매번 채워야 하는 가족의 고충도 보통 힘든 게 아니었다.

처음엔 구체적인 일정들을 해수부가 주도해 제시하고 동행했는데 미수습자가족들이 대변인만 동행하는 구조를 요청해 나 역시 난감했다. 왜냐면 목포 신항에 대변인 자격으로 들어갈 땐 자가차량이 있었으나, 이후 오랜 세월호 봉사로 인해 생업을 거의 못하면서 경제적으로 너무 힘들어 차량을 정리하지 않으면 안 되는 상황이었다. 그래서 진도로 출퇴근하는 지인의 도움을 받고 있었지만 지인이 연차, 휴일, 출장이 있으면 여의치 않아 그땐 다른 도움을 받기도 했고 막바지엔 렌트카를 빌려 목포 신항을 오갔다.

하루 이틀도 아니고 며칠 안에 수색이 다 마칠 사안도 아니고, 목포에서 진도로 오가는 교통의 어려움과 불규칙한 대변인 퇴근 시간이 늦어지는 경우가 많아 피로도가 올라간 상황에, 어렵지만 일단 쓰러지기 전에 몸부터 살피자는 생각에 미수습자가족들이 머무는 오피스텔을 아무에게 얘기하지 않고 구했다. 괜히 가족들이나 주변 관계자들에게 부담을 주고 싶지 않았는데 누구도 걱정하거나 물은 적도 없었다. 물론 이렇게까지 어렵기 전에 애초 봉사든 대변이이든이든 하지 않는 것이 합당함을 잘 알면서도, 어느새 몸은 가족들을 돌보고 살피는 일에 이미 가 있으니, 나 스스로도 안타깝지만 그땐 별다른 방도가 없었다.

사실 세월호 100일, 200일, 세월호 1주기 추모제, 2주기 추모 제, 1,000일, 3주기 추모제, 그리고 기막힌 '세월호 인양 집중 기원제' 까지만 하고 모든 마음 내려놓겠다고 몇 번을 다짐했었 다. 그러나 대변인을 끝내 거절하지 못함으로 인해 내가 감당하 고 견뎌내야 할 일들은 상상초월이었다. 또한 오랜 봉사로 지인 들의 걱정이 커져 봉사를 그만두라고 적극적으로 권유했는데, 가족들 곁에서 현장을 떠나지 못하는 내 모습을 보고 거의 인연 이 끊어졌다. 그렇게 오피스텔로 들어간 나는 당장 진도까지 오 가는 교통의 불편함은 줄었지만 오피스텔 비용 등 그 외로는 고 스란히 내 몫이었다. 지난날 대전에서 진도실내체육관까지 한 번만 봉사를 다녀도 차 기름, 톨게이트, 숙박, 식사, 물품 등 최 소 경비가 50만원은 기본이었다. 세월호 사고 이후 대전과 진도 왕복은 숫자를 세기 어려울 정도이고, 실종자가족, 유가족, 미 수습자가족의 숱한 이름이 바뀌는 동안 팽목항, 침몰현장 선상 바지에서 이곳 목포신항까지 모두 이동한 거리를 계산만 해도 수치가 가늠이 안 된다. 게다가 대변인이 되기 이전에도 자가 운전해 미수습자가족들과 함께 서울 조계사, 안산 등 전국을 다 니고 이동한 거리를 합하면 예측도 못할 거리였다. 이 모든 생각과 판단 그리고 책임은 나 스스로 지고 해결해야 함을 알고 있어 어떻게든 세월호 선체 수색이 다 끝날 때까지 감당할 수 없는 경제적 어려움을 떠 안은 채 사력을 다해 버텨야 한다는 것이 나 스스로의 굳은 결단이었다.

제3부
사실과 진실

보이지 않는 줄

세월호 침몰 이후 대전에서 진도를 밤중 새벽 없이 장거리 운전을 하고 다니는데 어느 땐 졸음운전에 몇 번의 사고 위험도 많았지만 감사하게 고속도로에서 단 한 번의 사고도 발생되지 않았다. 정말 천운이었다고 해도 과언이 아닐 정도였다.

어느 날 늦은 오후 팽목항으로 미수습자가족을 만나러 갔는데 그 미수습자가족 컨테이너로 인근 마을 유지가 방문했다. 익히 얼굴을 알고 있어 인사를 나누었는데 알고 보니 내가 방문할 것을 미리 알고 도움을 청하러 오셨던 것이다. 게다가 그 미수습자가족 분이 내게 도와달라고 요청을 하니 무척 난감했다.

내용은 이틀 후 진도 철마광장에서 도보순례단 아침식사 200인 분 정도를 도와달라고 했다. 나는 하루 밖에 남지 않은 날짜인데다가 갑작스러워 어렵다고 하면서 다음에 미리 알려주면 그때 함께 돕겠다고 했다. 그러나 그 유지 분은 계속 통사정을 했다. 나는 이해가 안 되어 "마을 분들이나 진도읍에 계신 분들에게 미리 도움을 요청하면 얼마든지 방법이 있었을 텐데…."라고 했다. 그랬더니 이번엔 그 유지 분이 담당이라 무조건 대책을 세워야 한다는 내용이었다. 번번히 황당한 이런 일들에 이젠 놀랄 기력도 없었지만 나 역시 난감했다.

미수습자가족 분은 계속 추궁하며 도와달라는 말씀에 도리 없이 자장스님에게 전화를 드려 통사정했다. 다행히 허락을 해주셨는데 얼마 지나지 않아 500인 분으로 변경이 되었다. 참 기막혔다. 그러나 어쩔 수 없이 다시 자장스님에게 연락해 변경된 인원을 말씀드려 재차 양해를 구하고 또 구했다. 그렇게 그 다음날 저녁 전에 도착한 자장스님께 숙소를 예약해드리고 다음날 새벽 추운 공기를 뚫고 4시부터 준비해 마무리했다.

그런데 봉사 마무리할 즈음 도보순례단이 진도 철마광장에서 아침 식사를 마친 후 임회면 농협 하나로마트 주차장에서 1천명 정도 점심이 예정되었는데, 봉사자가 부족하고 음식할 줄 아는 봉사자 등이 부족한 관계로 점심까지만 도와달라는 요청이었다. 나는 혼자 결정할 사안도 아니어서 자장스님에게 여쭈었다. 물론 자장스님도 여의치 않기는 똑같은 사정이었지만 도리 없이 함께 동참하기로 약속했다.

그렇게 쉬지도 못하고 자장스님과 함께 식자재 필요한 것들을 준비해 서둘러 임회면 농협 하나로마트 주차장으로 갔다. 그러나 말이 1천 명이지 후에 도착한 인원은 이미 1천 명 정도 분량은 어림도 없어, 몇 분과 함께 황급히 마트로 가서 다시 물품들을 구입하고 주변 밭에서 먹거리 될 것들은 모두 뽑아 씻기 바빠 불난 집 저리 가라 할 정도의 규모였다. 애초 2천 명 정도를 예정했으면 미리 세분화되어 야무지게 준비를 했을 텐데 말이다.

그렇게 우리들은 너나 할 것 없이 있는 사람 없는 사람 모두 달라붙어 매달린 덕분에 사고 없이 부족하지 않게 끝에 도착한 일행들까지 식사를 마련할 수 있었다. 그러나 이것이 끝이 아닌 줄 그때는 아무도 얘기해 주지 않았다. 나는 이런저런 준비를 다 마치고 짐을 정리해 대전으로 가려고 했다.

그런데 지인이 와서 말한다. 벌써 말을 굳이 안 들어도 알 수 있는 그런 얼굴이었다. "오늘 저녁 전국에서 버스 집결이 팽목항 5시 도착이래요." 라고 했다. 그동안의 경험으로 보면 그 뒷말은 안 들어도 답이 나온다. 내 생각에 최소 3천 명은 기본이고 최대 5천 명 미만 아닐까? 순간 머리가 하얗게 되었다. 정신 차리고 보니 나는 왜 내가? 라는 생각이 들었지만 땀방울은 그새 구름 위로 날아가 나를 보고 있었다. 나는 분명 이틀 전 팽목항 미수습자가족들에게 인사를 하고 진도읍으로 나왔는데 결국 또다시 팽목항까지 봉사하러 가야만 하는 일이 되어버렸다.

이젠 자장스님도 말씀을 하지 못한다. 나 역시 뭐라 드릴 말씀이 없었다. 자장면을 해야 하는 것이다. 왜냐면 다른 관계자들도 저녁식사를 준비하지만 음식이 중복도 되지 않아 좋은 것은 기본이고, 전국에서 팽목항을 찾아 실종자가족들과 유가족들에게 위로와 용기를 주고 힘을 더하기 위해 찾아오는 '도보순례단'이니 만큼 다양한 식사를 제공만 할 수 있다면 너무 좋겠다는 요청에 자장스님과 나는 그저 열정과 진심 하나로 재빨리 재료를 구입하고 만들기 바빴던 것이다.

2천 명의 식사가 다 나가고 3천 명 정도까지도 어떻게 서로 협심해 끌어 나갔는데 그 다음은 답이 없었다. 왜냐면 그 당시 저녁밥을 먹기 위해 줄 서서 차례가 되기까진 40분에서 거의 1시간 정도가 걸렸기 때문이다. 지금도 그 장면은 눈에 선하다. 그 경황없는 중에도 아주 특이한 감정을 느꼈다. 팽목항에 저절로 줄이 줄을 이어 만들어진 모양은 이 세상에서 가장 아름답고 멋진 '환희로운 자연'을 보는 것 같았다.

인간이 자연 그 자체인 것이다. 나는 이곳을 찾은 저 자연 속의 인간들이 사회의 중요한 보직과 산업과 기업 곳곳의 보직자 그리고 대통령이었다면 분명 세월호 침몰은 없었을 것이고, 애초 그런 사고를 발생시키지 않았을 텐데, 라는 생각과 분통함은 하늘로 구름 띠를 모았다.

나중엔 밥도 없고 반찬도 다 떨어져 가서 주변에서 사력을 다해 밥을 모아 우리들은 서둘러 주먹밥을 준비했다. 어떻게든 팽목항에 도착해 줄을 길게 선 소중한 시민들, 이미 허기진 입술들이 서 있는 줄들을 보며 주먹밥 하나라도 전해 배고픈 속을 달래주고 싶었다. 그러나 이젠 그 주먹밥도 다 떨어져 나는 "컵라면이라도 드릴까요?" 라고 하면서 몸은 이미 온수통을 찾아 뛰었다.

자장스님과 함께 봉사한 적은 있었지만 처음 동행한 보살은 본 적도 없었다. 그러나 세월호 재난현장이란 곳에 마음을 모은다는 그 마음 하나로 한 팀이 되었다. 그런데도 아주 오래된 인연처럼 서로 편안하고 한 가지를 말하면 벌써 두세 가지를 알아듣고 각자 할 일과 역할을 알아 정말 척하면 척할 정도로 호흡이 잘 맞았다.

훗날 지역에서 세월호 희생자 추모 및 기다림과 관련해 많은 활동을 하셨던 일운스님(성남 황송노인종합복지관 관장)께 감사한 마음으로 자장스님과 함께 자장면 봉사를 했다. 복지관 구내식당에서 어르신들의 건강하고 밝은 모습을 보았던 기쁜 봉사 현장이었다.

또한 팽목항과 목포 신항을 오가면서 1t 트럭이 긴급하게 필요하거나 승용차로 이동할 일들이 있을때 한 번도 거절하지 않고 흔쾌히 차량봉사해 주신 김일문 대표님께 감사한 마음을 전한다.

숨은 그림과 해저 40m

아침 일찍부터 밤늦게까지 주말도 거의 없었다. 전체회의 마치고 미수습자가족회의실로 모였다. 해수부 미수습자가족 지원 담당자는 가족들에게 하루 종일 세월호 선체를 보며 컨테이너에서 지내시는 것이 힘들어 보이니 "힐링하러 가시죠?" 라고 제안했다. 나는 미수습자가족들이 힘든 건 알지만 선체에서 나온 토사를 분류하는 것도 관심의 끈을 놓으면 안 되기에 자리를 지켜야 한다고 생각했다. 그러나 미수습자 유해가 일체 나오지 않고 기존 미수습자 유해만 추가로 수습되는 상황이 지속되는 것에 대해 정부를 대신한 해수부는 자구책으로 치유와 정서 함양 아니면 시선 돌리기 정도라는 생각을 했다. 당시 그런 제안이 순수하게 들리진 않았다. 다만 긍정적으로 보면 3년 넘게 재난현장에 있는 미수습자가족을 위한 정신적, 정서적 배려라고 볼 수도 있지만, 다른 한편으로는 미수습자가족들이 세월호에 집중하는 시간을 분산시키고 세월호가 보이는 현장에서 벗어나는 시간을 조성해 줌으로써 일상생활로 돌아가기 위한 전초전 쯤으로 유도하는 보이지 않는 전략으로도 받아들일 수 있었다.

그럼에도 미수습자가족 대변인인 나로서는 가족들의 뜻을 가장 우선하는 것이 임무였기에 걱정이 앞섰다. 아니나 다를까 예상은 빗나가는 법이 없었다. 단원고 남학생 미수습자가족들은 처음부터 시큰둥하고 듣지도 않았다. 교사가족과 일반인가족은 그렇지 않았다. 그 중 교사가족은 유난히 힘들어 해서 잠시라도 세월호를 벗어나면 숨 쉴 것 같다고 했다. 일반인가족은 이왕이면 아무 데나 가지 말고 해수부가 제안한 것이니 계획을 잘 좀 세워 보라고 했다. 그토록 오랜 시간이 지나도 절대적인 화합이 어려운 미수습자가족들의 조합이었다. 그도 그럴 것이 일단 한쪽은 수학여행 보냈다가 돌아오지 않는 아들의 목숨을 뺏긴 엄마와 아빠이고, 한쪽은 가족을 잃은 60대와 중반에 접어든 즉, 자식과 가족의 생명에 대한 무게 중심과 삶의 정서적 문화가 달랐던 것이다. 그럼에도 대변인으로서 몇 차례 제안은 해 보았지만 결론부터 말하면 학생 부모가 해수부가 제시한 힐링 프로그램에 동참했던 적은 1~2회 정도 밖에 없었다. 그것도 대변인이 통사정해서 참여했다.

이후 해수부는 인근 지역의 프로그램 및 힐링 장소를 알아보고 제안을 하는 게 어느 날부터 일이 되어버렸다. 그만큼 폭염도 지나고 가을이 오는 길목에도 미수습자를 찾았다는 선체조사위원회의 소식을 들을 수 없었다는 것이다. 따라서 대변인은 선택의 여지가 없이 미수습자가족들이 있는 곳은, 언제나 미리 일정 등을 인지해서 그 내용을 사전에 가족들에게 안내하거나 설득해 동행하는 일정들이 대부분이었다. 힐링 프로그램은 편백 숲길 걷기라든가 관광지 유달산이나 인근 유적지 등을 관람하거나 1시간 정도의 산행과 지역축제가 있었다. 물론 이를 위해 해수부에선 운전을 담당했다. 그 외 행안부에서 파견되어 가족지원 담당을 맡았던 금석윤 사무관은 정말 가족들에게 대충 하루 해치우고 마는 그런 개념이 아니고 정신적으로나 심적으로 최소한 가족들에게 다가가려고 진심을 다했다. 오죽하면 그 당시 행안부 홈페이지에 몇 글자를 올리고 싶었는데 목포 신항 현장 마무리 하면서 탈진해 쓰러지고, 해수부 뼈 은폐 사건 등으로 때를 놓쳤다.

해수부 역시 별의별 일 다 겪으면서 교대로 운전하고 행안부는 두 분이 교대로 파견되어 가족들과 함께하는 수고를 다했다. 해수부와 행안부 파견 근무자들은 말이 그렇지 차라리 세종청사에서 사무 보는 일이 훨씬 더 편했을 거라고 생각한다. 그만큼 재난현장에서 근무한다는 것은 공간 자체부터 힘들고 모두 다 지칠 일들만 산적한 현장과 특히 가족들의 감정기복이 다양하고 개인차가 커서 매우 힘들어 했다.

때문에 누가 누군가를 위해 어떤 마음을 낸다는 것은 함부로 쉽게 결정해서도 안 되고 실행해서도 안 된다는 것이다. 왜냐면 다른 것은 노력을 해서 이룰 수 있는 것도 많지만, 일반현장과 달리 재난현장에서 단 한 푼의 지원도 없이 묵묵히 행하는 봉사는 한 시간이든 한 번이든 하루든, 고통이고 고행이라고 생각한다. 그럼에도 제일 '아름다운 자연 속의 인간'이라고 생각한다. 해수부 및 다른 관계자들은 미수습자, 유가족들과 잠깐만 겪어도 후덜덜 했었으니까 말이다.

그만큼 재난 트라우마는 이성적으로 이해할 수 없음을 능가한 그 이상이다. 그래서 꾸준한 치료와 치유가 전제되어야 한다. 그러나 자신의 몸을 헌신해 실종자를 구조한 민간잠수사들에게 꾸준한 치료를 보장하지 않았던 것은 국가와 정부가 무책임했다. 특히 장기간 가족들과 밀착함으로써 발생된 봉사자의 트라우마를 단 한번도 살피지 않았던 것은 매우 유감스럽다고 생각한다. 그렇게 대변인의 몸은 둘로 나눌 수 없어 미수습자가족들과 함께 힐링하러 갈 땐 가시방석처럼 편치 않은 마음을 티내지 않으려고 노력했지만, 여전히 끝날 때까지 한쪽이 불편했기에 출발 전 미리미리 더 살피고 시간별로 목포 신항에 남아있는 남학생 미수습자가족 분들을 챙기느라 마음을 더 썼다.

그렇게 시작된 힐링은 점점 횟수가 늘어나면서 대화도 맘 놓고 하는 것이 불편한 미수습자가족들은 자꾸 대변인이 운전해 다니면 더 좋겠다고 요청했지만, 해수부 차량은 담당 직원 외 불가하다는 말을 듣고 그 뜻을 가족들에게 알려드렸다. 사실 가족들이 불편한 이유도 충분이 공감한다. 말 그대로 정부를 대신한 직원인데 그 어떤 대화를 허심탄회하게 한단 말인가? 그리고 그날 그날 다른 이슈가 있고 신중한 문제들이 늘 도사리고 있었으며, 시간이 지날수록 점점 더 심각한 이야기들을 가족들끼리 해야 했기 때문이다. 전화 통화조차 불편했던 것이다. 그러나 대변인은 세월호 처음부터 다 보고 듣고 더한 것도 다 알고 있는 상황이고 미수습자가족만 공유하는 비밀이 아닌 이상 훨씬 편한 것이다. 때마다 가족별로 맞춤해 대화하면서 공감하고 이견도 나누고 설득도 하면서 융복합적 사고와 대응을 하는 것이 대변인의 업무였고 봉사였던 것이다.

목포 신항에서 세월호 선체 미수습자 수색 및 수습이 한창 이루어지고 있을 때였다. 어느 날 진도에서 목포 신항으로 운전을 하고 가던 길, 미수습자 9명을 다 찾지 못하게 되면 어쩌지, 라는 생각에 착잡한 마음이 일렁거렸다. 아무리 애원해도 미수습자 9명을 다 찾는다는 것은 현실과 거리가 있는 벽이었다. 애초 세월호 침몰 당시 1차 유실 가능성을 전혀 배제할 수 없었다. 정부에서 유실 방지를 했다고 해도 광범위한 구역을 다한 것이 아니기에 충분히 2차 유실 가능성이 있다고 보았다. 또한 침몰지역에서 인양 후 목포 신항으로 이동하는 과정에 3차 유실 가능성을 추측하지 않을 수 없었다. 그렇기에 미수습자 9명을 모두 찾는다는 것은 말그대로 희망사항일 수 있다는 것에 분통한 마음이 일어났지만 어쩔 도리가 없었다. 진도대교를 넘으면서 창문을 열고 울돌목을 잠시 내려 보았다. 저 바닷물이 흘러 세월호 침몰현장으로 가겠지, 라는 생각이 들었다.

그 순간 언젠가 선체 수습이 다 끝나면 목포 신항에서 추모식을 간단하게 마치고 안산과 서울로 장례식을 준비하러 이동할 텐데, 그때 뼈 한 점도 찾지 못한 미수습자가족들은 어떻게 장례를 준비하지? 라는 허망한 생각이 들었다.

인간이 출생하면서 가장 먼저 받는 선물은 부모로부터 받은 이름이다. 그 이름을 불리고 살다 떠날 땐 자식이나 가족이 그 이름 앞에서 이별을 하는 것이 아닌가? 그렇다면 미수습자가족들은 태어날 때 부모에게 받은 몸(시신)도 없고 돌아오지 않는 이름만 목이 메도록 부를 텐데, 과연 무엇으로 미수습자 장례를 맞이하고 보낼 수 있을까? 요즘 장례는 소수만 매장의 장례로 진행되고 대부분은 유골을 화장한 후 납골당에 안착하는 흐름이다. 그렇다면 미수습자는 매장도 못하고 유해가 없어 납골당 납골함 안에 담을 것이 전혀 없다는 결론이었다. 순간 소름이 돋았다. 세월호 침몰해역이 떠올랐다.

세월호 침몰현장 인양 구역에서 2km 떨어진 곳에서 '세월호 인양 집중기원제'를 했던 기억이 났다. 그렇다면 일반인은 세월호 침몰현장을 들어가면 위법이니 합법적으로 전문가의 손이 필요하다는 생각이 들었다. 갑자기 마음이 급해졌다. 자동차 속도가 빨라졌다. 목포 신항에 도착한 나는 당시 해수부 담당자에게 전화했다. 나는 미수습자가족들이 듣기라도 할까봐 무척 조심했다. 누구도 그런 말을 실수로라도 하면 큰일이란 것은 안 봐도 훤한 일인데, 다른 사람도 아니고 대변인이 그랬다는 것을 미수습자가족들이 알게 되면 꼼짝없이 어떤 누명을 써도 달리 방법이 없다는 것을 알기 때문이다.

나는 해수부 담당자에게 "만약, 미수습자를 다 못 찾을 경우 가족들은 어떻게 장례를 하나요?" 라고 물었다. 예상한 대로 아무런 답을 들을 수 없었다. 다만 왜 그런 걸 물어보느냐는 것이다. 나는 해수부 담당자에게 지금 저와 함께하는 대화는 미수습자가족들이 이곳을 떠나기 전까지 절대 발설하지 말아달라는 부탁을 먼저 했다. 해수부 측은 "무슨 일인데 그래요?" 나는 다소 긴장된 목소리로 "세월호 침몰현장 수중수색을 추가로 하고 있다는 거 알고 있는데 기간이 언제까지죠?" "수색이요? 그건 왜요?" 나는 "세월호 침몰현장 해저 흙이 꼭 필요해요. 이건 매우 중요한 일이예요." 담당자는 의아한 목소리로 "그 흙이 왜 필요한지는 모르겠지만 일단 법으로 금지되어 있어 불법입니다."

나는 다시 말을 이었다. "네, 그러리라 생각했는데요. 훗날 미수습자를 다 찾지 못할 경우 미수습자가족들을 위해 미리 준비해야 한다." 라고 했다. 담당자는 별 의미 없이 "글쎄 그건 잘 모르겠고 지금은 침몰현장 수색이 며칠 전 중단되어 방법이 없다." 고 했다. 나는 "분명 다시 침몰현장을 수색할 테니 그땐 잊지 말고 꼭 침몰해역 흙을 2kg 정도만 부탁한다."고 신신당부했다. 그러나 해수부 담당자는 앞으로 더 이상 수색할 일은 없을 것 같다는 답변을 했다. 나는 물러설 수 없다는 생각에 "무슨 뜻인지 알지만 다음에 추가 수색이든 아님 당일 수색이든 마지막으로 잠수사 분들이 침몰해역에 작업할 일정이 생기면 잊지 말고 꼭 부탁합니다." 라고 했지만. "없어요." 라고 했다.

그래도 나는 포기하지 않고 마지막 정점을 찍기 위해 꾹 참고 "네, 그래도 한 번은 꼭 있을 테니 잘 좀 부탁합니다." 라고 전화를 끊었다. 이후 목포 신항 안에서 만날 때마다 묻고 또 묻기를 수차례 반복했다. 어느 날 해수부 담당자가 내게 묻는다. "그 흙으로 무슨 장례를 할 수 있다는 거죠?" 나는 장례 전문가는 아니지만 분명 "시신이나 유해조차 없을 땐 사고 당시 침몰된 해저 흙이, 돌아오지 못한 분을 대신해 몸(시신)은 아니지만 그를 대처할 수 있는 방안이라고." 말했다.

담당자는 "그 해저 흙이 있으면 어떻게 할 건데요?" 나는 "해저 흙이 외부로 유출되는 것이 적절하지 않다고 생각해 해수부에서 잘 보관했다가 미수습자가족들이 장례를 준비해야 할 때가 오면, 그때 가족들에게 저의 뜻을 설명해 주고 미수습자가족들의 의견을 물어서 장례를 준비하는데 미력하나마 도움이 되길 바란다.”고 했다. 해수부 담당자는 갑자기 진지한 눈빛으로 나를 잠시 바라보면서 질문한다. “이런 생각을 어떻게 하죠? 혹시 이런 장례 경험한 적 있어요?” 나는 “아니요. 전혀 없는데요.” 해수부 담당자는 무척 놀란 표정으로 “그럼 해 본 적도 없는데 와 대단하시네요.” 나는 조급한 마음에 “혹여 그런 일정이 있으면 꼭 좀 부탁합니다. 제 생각엔 매우 유용할 것 같습니다.” 라고 했다. 해수부 담당자는 “일이 바빠 제가 잊어버리거나 깜빡할 수도 있으니 중간 중간 제게 확인을 해 줬으면 좋겠다.” 라고 했고 나는 “네” 라고 했다.

얼마 후 담당자에게 전화가 왔다. “지금 세월호 침몰현장에서 대변인이 부탁했던 해저 흙을 준비해 목포 신항으로 오고 있는 중인데요.” 라고 했다. 해수부 담당자는 침몰해역에서 출발했으니까 목포 신항엔 7시경 도착할 예정이라고 했다. 나는 그 시간에 맞춰 목포 신항 앞에 주차했다. 그런데 해수부 담당자가 아니다. 처음 뵌 분과 짧은 인사를 나누고 ‘검은 비닐봉지’를 건네받았다. 담당자에게 전화했다. 나는 해저 흙을 해수부에서 잘 보관해 달라고 재차 부탁했다. 그러나 해수부 담당자는 “대변인 말씀대로 누가 괜히 보거나 알게 되면 어쩔지 모르고 사무실도

공동 사용이니 일단 대변인이 봉사도 하지만 기도도 열심히 하는 불자(佛子)이시니 오히려 저희보다 잘 보관할 수 있다는 생각이 들어 잘 좀 부탁합니다." 라고 했다.

사실 진도 집에 미수습자가족들이 방문해 차 한 잔도 하고 소담도 하면서 내가 기도하고 수행하는 공간인 법당(法堂)에 들어가 참배도 하고, 미수습자 9명의 이름이 새겨진 노란연꽃 초를 밝혀 기도하는 것을 알기에 가끔 찍어서 보내 준 적이 있었다. 그리고 가족들이 기도 좀 많이 해 달라는 말씀을 일상적으로 해서 해수부 직원 몇 분 정도 알고 있었지만 직접 말을 나눈 적은 처음이었다. 그런 연유로 본의 아니게 해저 흙을 진도 법당(法堂)으로 소중히 모시고 왔다.

출가를 준비하던 어느 날 ○○사에 갔었다. 회주 스님은 내게 잠깐 당신 처소로 와 달라고 부탁하셨다. 나는 처음으로 들어가 보는 곳이다. 왜냐면 보통 그 절에 가면 대웅전 참배를 하고 마애부처님이 계신 곳을 올라 참배를 마치면 가끔 지대(地帶)방에서 차담을 하고, 어쩌다 공양을 했지만 그 절의 가장 큰 어른이신 회주스님과 단독으론 뵙지 않은 상황이어서 무슨 일이지? 라는 생각을 갖고 들어갔다. 그런데 이것이 웬일인가? 그 회주스님은 내게 "이 부처님은 달라이라마께서 하사(下賜) 하신 불상(佛像)인데요. 금비보살이 이 부처님을 모시면 여법하게 잘 모실 수 있을 것 같아 꼭 전해주고 싶다." 는 말씀을 하셨다. 나는 마음속으로 얼마 있으면 바로 출가할 텐데 라는 말을 되새기며 어떻게 답을 해야 할지 몇 초 멈추다 바로 "네 감사드립니다." 라고 두 손을 가슴 앞에 모으며 삼배(三拜)의 예(禮)를 갖추었다.

나는 출가를 하더라도 큰 불상이 아닌 소불상이기에 이운이 가능하다는 생각과 오지 않은 내일을 염려하지 않고 지금 이 순간 내가 보고 들으며 깨우치는 것이 스승이고 법이며 인연이고 진리라는 것을 알고 있어 답을 했던 것이다. 회주스님에게 여쭈었다. "왜 제게 그런 인연을 권하셨어요?" 회주스님은 미소를 짓고 "금비보살을 지금껏 봐왔지만 항상 열정적이면서 착하고 부지런해 궂은일 마다하지 않고 한결같이 봉사하면서, 특히 부처님 법을 깨치려 하는 그 모습이 귀하다는 생각을 갖고 있어 준비했어요." 라는 말씀을 해 주셨다. 그리고 몇 가지를 더 챙겨주셨다.

어느 날 ○○스님을 뵙고 진도에 '치유와 명상센터' 공간을 만들고 싶다는 말씀을 드렸더니 현판의 이름을 직접 붓글씨로 내려주셨다. 그리고 부처님은 작은 고가구에 정갈하게 모시면 좋겠다고 말씀하셨다. 나는 그에 따라 작은 고가구를 준비했다. 그리고 달라이라마께서 하사(下賜) 하신 불상(佛像)의 점안식(點眼式)을 ○○스님께서 직접 해주셨다. 그렇게 안채에 작은 법당(法堂)이 마련되어 개인적으로 기도하고 수행하는 공간 속에 세월호의 모든 기도를 끊이지 않고 행할 수 있었다.

어느 날 미수습자가족들이 고통스런 장례 결정을 하게 되었다. 그런 연유로 미수습자가족들은 갑자기 장례 준비로 분주했다. 해수부에선 전문 장례사를 모시고 여러 행정적인 것 등을 촉박하게 준비하느라 누구도 정신줄 잡기가 힘들 정도의 순간이었다. 미수습자가족들은 가족들대로 안산까지 오가며 이동해야 했고, 나는 나대로, 해수부는 해수부대로 전쟁통이었다. 나는 해수부 담당자에게 조심스럽게 이야기를 했다. 이젠, 해저 흙이 필요한 시간일 것 같다고 했다. 그런데 해수부가 직접 말을 하는 것에 대해서는 어렵다고 했다.

나는 해수부와 미수습자가족 전체가 다 앉은 자리에서 그동안 해수부에 해저 흙을 요청했다가 거절 받았는데 극적으로 해저 흙을 받게 된 내용을 말씀드렸다. 그런데 이게 웬일인가? 세월호 3년 6개월 동안 먼저 말을 건넨 적도 없었던 미수습자가족 단원고 남학생 엄마가 내게 말을 했다. "어떻게 그런 생각을 하셨어요. 흐 흑 흑… 우린 장례도 치르지 못할 뻔했는데…. 그렇지 않아도 장례 준비하는데 아무것도 없어 빈 관에 옷이라도 넣어 잘 보내줘야 하나 기가 막혔는데…." 라고 하는 것이다. 게다가 직접 내게로 다가와 손까지 잡아주는 것이다. 나는 말도 못하고 온몸이 떨려왔다. 다른 남학생 엄마가 이어 말한다. "우리 대변인이 역시 최고예요. 정말 이런 생각을 한다는 것이 상상도 안 되는데 대단해요. 너무 고마워요. 덕분에 우리가 이렇게라도 장례를 할 수 있어서…. 기다리는 것 외엔 우리가 해 줄 수 있는 게 없어… 막상 장례를 준비하려 해도 머릿속은 하얗고 아무것도 없는 관에 뭘 넣어 보내줘야 하는지 마땅한 게 없어 너무 슬펐는데….” 라고 하면서 여기저기서 눈물들이 터진다. 3년 6개월 만에 이토록 직접 마음을 표현해 준 가족들 앞에서 나는 먹먹했다.

애초 해저 흙을 받고는 바로 1차, 2차, 3차적으로 이물질을 빼내고 흰 종이 위에 정갈하게 놓아 덮고 이름을 적어 법당 안에 잘 놓아두었다. 그리고 미리 조그만 함을 만들어 그 용기 속 흰 종이 안에 해저 흙을 담고, 용기 밖엔 미수습자 이름을 각각 적고, 정성스럽게 모아 담아두었던 것을 드디어 미수습자가족들에게 하나씩 진심을 담아 전해주었다. 다른 미수습자가족들도 너무 고맙다고 했다. 나는 경기도교육청 장례 담당자에게 부탁해 안산 단원고등학교 교정에 있는 흙 한 줌을 구해 달라고 부탁했고, 앞서 실종자가족들이 자식과 가족의 이름을 가장 많이 불렀던 팽목항 흙도 준비했다고 전했다.

나는 미수습자가족들에게 그 세 군데의 흙을 잘 보관했다가 장례 이후 화장을 다하고 납골함에 넣을 때 세 군데의 흙을 모아둔 이 함을 넣어주시면 어떨까, 라고 차분하게 전했다. 미수습자가족들은 약속이나 한 것처럼 "정말 뜻 깊은 의미가 있어 다행이예요. 정말 감사해요." 말했다.

　미수습자가족 대표 남학생 아빠가 내게 대변인을 제안할 때 "우린 가족이예요. 가족이요" 라고 했던 말이 불현듯 떠올랐다.

역지사지

      팽팽한 줄다리기에도 전혀 꿈쩍하지 않고 이미 유가족이 된 전 미수습자가족 대표는 그 대표직을 내놓지 않겠다는 상황이었다. 여학생 부모들은 유해를 찾았어도 바로 장례식을 치르지 않고 목포 신항에 보관했다. 게다가 남은 미수습자가족들과 함께 장례식을 치르고 싶다고 했는데 남은 가족들은 원하지 않았다는 이야기를 후에 들었다. 실상 뼈 한 점도 못 찾아 죽을 맛인데 이미 유해를 찾아 유가족이 된 부모들을 목포 신항 안에서 힘들게 얼굴 보는데, 기어이 장례까지 함께 치르자고 하면 흔쾌하게 용납할 가족이 어디 있을까? 다만 세월호 침몰부터 누구보다 치열한 투쟁의 흔적들이 역력했음에도 남은 미수습자가족들과 연속적인 갈등은 못내 안타까운 일이었다.

    재난이 아닌 우리들의 흔한 일상생활에서도 종종 어렵지 않게 볼 수 있는 일들이지 않은가? 사람 사는 것이 그렇지 않을까?

내 실수로 관계가 틀어질 수도 있지만 그렇지 않은 경우에도 오해나 누명과 이간질로 인해 관계가 틀어지고 봉합되기가 어려운 경우가 있다. 이것은 중간에 그런 역할을 누군가 고의적으로 했거나 그렇지 않다 하더라도 이미 그들만의 관계 형성과 이익이 충족되는 상황에선, 내가 잘해도 그들이 다시 나를 이해해 주거나 오해가 풀려 누명과 이간질 당했던 것들이 없는 것으로 되거나 사라지지 않는다. 오히려 나중에 또 당하거나 이용당할 확률이 더 높은 것이다. 온전한 이성과 사고를 갖고 매사 이성적이고 윤리적이며 상식적 통념 속에 세련된 관계를 형성한다는 것은, 바다 속에 모래알 숫자 세는 것만큼이나 현실적으로 어렵다는 것이다. 왜냐면 옆에 있거나 앞에 마주한 사람이 억울한 일을 겪어도 누군가 나서서 함께 뜻을 모으기는커녕 역이용하지 않으면 다행인 것들은 그동안 내가 세월호 봉사를 하면서 숱하게 보고 듣고 겪었다.

어느 날 그 여학생 유가족들은 안산 장례식장이 아닌 서울 시청에서 장례식을 한다는 소식에 남은 미수습자가족들은 아연실색 했던 기억이 있다. 사실 어디서 장례를 맞이하고 치르는 고유 권한은 부모에게 있어 뭐라 할 말은 없지만…. 왜냐면 뼈 한 점도 못 찾은 가족들이 버젓이 목포 신항에 있고, 게다가 그 여학생 유가족은 거주지가 안산시였고 자식이 다니던 학교도 단원고등학교였는데 말이다.

남은 미수습자가족 일부는 내게 물었다. "서울 시청 갈 거냐고?" 나는 남겨진 미수습자가족들의 심정을 너무나 잘 알기에 그 질문의 의도가 뭔지 짐작했다. 그러나 남은 미수습자가족을 대신해 송구한 마음을 뒤로 하고 서울 시청 장례식장을 다녀왔다. 서울역에서 목포역까지 기차를 타고 내려오는 동안 말로 할 수 없는 쓸쓸함과 남은 미수습자가족들 얼굴 볼 생각을 하니 죄지은 것 없이 저절로 참담한 마음은 좀처럼 목포 신항 안으로 들어가는 발이 떨어지지 않았다. 남은 미수습자가족 일부는 서울 시청 장례식장의 상황 등을 자세하게 물었고 남학생 미수습자가족들은 옆에서 듣기만 했다. 그 모습이 얼마나 처량했던지 나 역시 그랬다. 오로지 유가족이 되고 싶은 소원 하나뿐인데 말이다.

인양 전, 뜨거운 여름 팽목항을 갔었다. 가족식당 컨테이너 문을 열었는데 창문은 열려 있어도 열기가 꽉 차 있었다. 팽목항을 지키고 계신 일반인 미수습자가족은 "이렇게 뜨거운 여름인데 에어컨이 고장 나서 힘들다."고 했다. 나는 이상했다. 왜냐면 당시 진도군엔 세월호 담당 부처가 있어 모든 것을 전반적으로 지원 관리 감독을 했기 때문이다. 그래서 가족 분에게 "민원 신청을 해 보셨냐?"고 여쭈었다. 그런데 그 가족 분은, 전화를 그 자리서 해보라고 내게 말씀하셨다.

나는 진도군 세월호 담당자에게 팽목항 가족식당 에어컨 상황을 말씀드렸더니 바로 팽목항으로 출장 가서 확인 후 불편함 없이 조치하겠다고 하면서 알려 줘서 감사하다는 인사를 했다. 그런데 기막힌 일이 발생되었다. 그 당시 미수습자가족 한분이 "왜 그런 말을 했냐?"고 큰 소리로 버럭 했다. 나는 "에어컨이 고장 나서 폭염에 힘들어 하실 것 같아서요." 라고 말했다. 그러나 그 가족은 위협적인 목소리로 "필요 없다는데 뭔 말을 해?" 했다. 나는 개인 공간도 아니고 공동이 사용하는 곳에서 분명 다른 이유가 있을 거라는 확신이 들었다. 그래서 "무슨 다른 문제가 생겼나요?"라고 물었다. 당시 미수습자가족들이 진도실내체육관에서 팽목항으로 거처를 이동하면서 먼저 팽목항을 지키고 있던 유가족과 함께 생활하는 공동구역이 있었는데, 그것은 가족대회의실, 팽목분향소, 가족식당, 화장실과 샤워실 정도였다. 그런데 일부 가족들은 저녁식사 하면서 때론 대낮에 반주겸 술자리를 가졌다는 것이다. 하긴 팽목항 바다 앞에서 맨 정신으로 살 사람이 몇 명이나 될 것인가. 그러나 그곳은 공동구역이고 술자리에서 몇 번 발생한 문제들이 있었다는 것을 후에 들은 적이 많다.

그 가족은 가족식당에서 에어콘 틀어 놓고 밤늦게까지 술 먹는 게 꼴 보기 싫어서 그렇게 한 것이라는 것이다. 그러나 내가 본 그 가족 분도 견디기 힘들어 술 한 잔씩 하는 것을 익히 봐서 알고 있는데, 라는 생각이 드는 순간, 그와 또 다른 가족들만의 내부적인 이유가 있다는 추측에 더 이상 말하지 않았다. 공동이 사용해야 하는 공간이기에 걱정이 되었지만 더 이상 개입을 하지 않는 것이 그 가족들을 존중하는 대안이라고 생각했다. 그러나 세월호 실종자의 이름에서 미수습자 이름표로 바뀌었어도 가족 간의 생명의 무게가 다른 것은 점점 골이 깊어졌다.

당시 그런 분위기는 팽목항에서 가족들과 밀접한 관계가 있던 분들이 모두 알았지만, 어떻게든 쉬쉬하면서 넘어가고 또 넘기던 시간들이었다. 그리고 그 가족의 컨디션과 분위기에 이미 기울어져 눈치를 보고 모두 그곳으로 줄을 대는 것을 보고 들었던 기억이 있다.

나는 처음부터 누구의 편이 되기 위해 줄을 서지 않고 내 할일만 했는데 그 가족의 눈엔 탐탁치 않게 보였을지도 모르겠다. 그렇지만 내가 출가 사흘 앞두고 진도 실내체육관에 도착했을 때나 세월호로 출가한 것은 세월호 침몰에 대한 아픔과 슬픔 속에 비통한 실종자가족들의 손과 발이라도 될 수 있는 역할이 있으면 끝까지 함께하겠다고 한 것이지, 누구 편먹고 시비하는 것엔 애초 중심을 두지 않았다.

어느 날 팽목항 가족대회의실에서 혼자 청소를 하고 있었다. 다 마치고 컨테이너 문지방 앞에서 청소 도구를 정렬하고 난 뒤 운동화 끈을 매고 있었는데, 때마침 해수부장관이 몇몇 수행자들과 함께 내가 있는 곳으로 걸어오고 계신 것을 봤다. 팽목항 분향소를 가시거나 아님 가족식당을 가시는가 싶은 생각이 스치며 일어나는데 이미 장관님은 반갑고 환한 모습으로 다가오시면서 "오늘도 봉사를 하고 계시네요." 라고 먼저 인사를 해주셨다. 그러나 나는 1초도 안 되는 시간에 어정쩡한 모습으로 "아, 네" 라고 한 것이 전부였다. 장관님은 겸연쩍은 표정으로 "가족 분들 만나러 왔는데 여기 없네요?" 라고 해서 나는 재빨리 운동화를 구겨 신고 가족식당 쪽을 가리키면서 "저곳으로 가 보시면 될것 같은데요." 라고 인사했다. 나는 장관님의 뒷모습을 보면서 팽목항에 내방한 정관계자 분들은 대부분 이곳 가족대회의실에서 면담이나 인터뷰, 간담회를 했었기 때문에 이곳으로 걸어오신 것인가? 라는 생각이 무심코 지나갔다.

그런데 이게 웬일인가? 팽목항 분향소 청소와 정리를 마친 후 장관님이 가시는 것도 몰랐는데 왠지 불편하고 사나운 공기가 감돌았다. 그런데 역시나 기막힌 일이 벌어졌다. 내가 먼저 해수부장관과 이야기를 요청한 것도 아니고 운동화 끈을 매고 있는 중, 해수부장관님이 내가 있는 곳으로 걸어와 짧은 인사를 나눈 것 뿐이었는데, 그 가족은 가족식당으로 바로 들어올 줄 알고 기다렸는데 해수부장관이 가족대회의실로 먼저 가서 그 가족의 심기가 불편했다는 말을 전해들은 것이다.

나는 아무런 말없이 물 한 모금 마셨다. 다른 미수습자가족들은 내게 "그런 말 같지도 않은 말 신경 쓰지 말아요. 한두 번 겪는 일도 아닌데요." 라고 했다. 그때 진도군에서 전화가 왔다.

어떤 미수습자가족에게 에어컨 관계로 민원이 들어왔다고 한다. 그러나 진도군이나, 나 역시 그 가족이 누구냐고 묻지도 않고 그런 말을 하지도 않았다. 진도군에서도 가족들 간 여러 가지 일들이 수시로 발생하는 관계를 대략 알고는 있어도 짐짓 말을 뱉을 수 없는 고충이 많았다. 담당자는 내게 "더운 날 수고 많으신데 에어컨이 필요하지 않다고 하니까 두고 봐야 할 것 같아요. 걱정이네요" 라고 했다.

그렇다. 항상 문제가 발생할 땐 당장 눈앞에 보이거나 발등에 떨어진 문제인 줄 아는데 살펴보면 절대 그렇지 않은 경우가 허다하다. 말그대로 전조 증세가 분명 있다는 것이다. 다만 속으로 웅크리고 있거나 다른 것으로 위장해 아닌 척 하다가 본인이 유리하다고 판단한 시점일 때, 그 공간이 어디든 무엇이든 관계없이 자신만의 합당한 이유를 만들어 대상과 환경을 재구성하는 것이다. 그러므로 상대는 무방비한 상태에서 상대가 돌변하거나 무시하는 것에 대해 놀라는 것이다.

사람은 눈 뜨면 욕심이라고 했다. 실종자로 있을 땐 차라리 시신이라도 찾았으면 하는 그 마음이 전부이고, 그 다음엔 뼈 한 점이라도 찾기를 바라는 그 마음 하나였다. 세월호 침몰로 인해 가장 큰 피해자들끼리 서로 피해를 주고 피해를 받는 재난 현장, 제2, 제3의 가해자와 피해자가 생겨나는 현실을 우리는 신중하게 살펴봐야 한다고 생각한다.

대의 명분

미수습자가족 대표에게 전화가 왔다. 대표는 "선체에서 미수습자 유해 수습이 전혀 안 되고 있는데 언제까지 하늘만 보고 있을 수도 없는데 너무 괴롭다, 죽을 것 같다, 언제까지 돌아오지 않는 자식을 찾는다고, 이 정도면 다들 말을 안 해서 그렇지 저기 보이는 세월호만 보면 미칠 것 같다. 그럼에도 나부터 너무 무서워 그 말을 못하고 못 받아들이는 것 아니냐? 정말 우리 애가 이렇게 하는 걸 원치 않을 수도 있겠다는 생각이, 죽고 싶은 생각이 수천만 번 들다가도 우리 아들 몫까지 열심히 하루하루 살고 싶은데, 우리 아들이 다 보고 있을 것 같아요." 라는 말들을 했다. 앞서 가족대표가 안산 가기 전 미수습자가족들의 뼈가 나오지 않는 것을 포함해 이런저런 깊은 고민을 함께 진지하게 대화를 한 적이 있었다. 나는 미수습자가족 대표에게 "어떻게 마음정리가 좀 되었나요?" 라고 물었다. 그러나 시원한 답을 듣지 못했다. 이후 그런 내용을 몇 차례 나눈 어느 날 미수습자가족 대표와 나는 뜻을 함께하기로 판단했다.

2014년 4월 16일 세월호 사고 발생 이후 3년 6개월이라는 긴 시간 동안 다른 사람들은 시신과 유해를 찾아 재난현장을 떠났는데, 우리 미수습자가족들은 어떻게든 자식과 가족을 찾아 장례로 잘 보내주고 싶은 마음에 눈으로 직접 생사라도 확인하고 싶어 죽지도 못해 버텼는데, 끝내 찾기는 어렵다는 뜻을 모았다. 그렇지만 어떤 부모가 세월호에 탑승해 수학여행 떠난 아들 자식을 코앞에 두고 먼저 뒤돌아 포기하고 갈 사람이 어디 있는가?

그러나 세월호 선체 수색을 거의 다 마쳐 가는데 언제까지 이렇게 기다릴 수 있는가? 생지옥이다. 나는 대변인을 맡기 전부터 그동안 마음속에 두고 있던 말을 무조건 해야 할 골든타임이라는 결단을 했다. 미수습자가족들에게 어떤 욕을 먹어도 훗날 후회할 일을 만들면 안 되겠다는 것을 항상 마음에 새겼었기 때문이다. 더 솔직한 심정은 그동안 어떤 시련과 억울한 누명이 있어도 참고 견딘 중요한 이유 중의 하나가 여기에 있다. 해저 40m 세월호 침몰현장의 흙을 미리 준비했었던 것처럼 말이다.

목포 신항 세월호 현장에서 어떤 대의 명분을 갖고 국민들에게 미수습자 5명 가족의 말을 어떻게 전할 것인가? 세월호 침몰로 전 국민이 성금을 모아 304명에게 전달해 주면서 많은 응원과 위로를 했음에도 길어진 세월호 수색과 늦어진 인양 등으로, 국민들 간의 불화와 불신이 확대되고 양분되어 국민의 피로감도 충분히 인정해야 한다는 것이다.

사실 이런 말들을 구체적으로 미수습자가족들과 한다는 것은 당시 상상할 수 없고 엄두조차 낼 수 없는 시점이었다. 하지만 나는 절벽 끝에서 뛰어내리거나 어떤 다리를 잇지 않으면 모든 미수습자가족은 물론 국민들도 함께 자유로울 수 없는 역사적 시간이라는 판단을 했다. 앞으로 우리 사회가 재난현장으로부터 건전한 사회로 공존하기 위해선 누군가는 냉정한 이성으로 지혜롭게 소통해 실행함으로써, 국민들이 분열되지 않고 사회적 공동체 일원으로 살아갈 수 있는 길을 창출해 내는 것이 매우 중요하다고 생각했다. 특히 미수습자가족들이 더 늦기 전에 국민 앞에 서서, 세월호 침몰 이후부터 지금까지 국민들께서 보내 주신 성원에 감사하다는 표명과 함께, 정부와 국민 그리고 세월호 선체 수습 마무리 등과 관련해 기자회견을 하는 것이다. 다만, 그 이전에 미수습자가족들과 합의가 되어야 하는 것이 가장 중요했다. 미수습자가족들 중 남학생 부모는 그동안 꾸준히 이성을 유지하려고 함부로 말하거나 거친 행동을 많이 자제하려고 노력했던 것을 알고 있었다.

가족대표는 미수습자가족들을 설득하는 것은 대변인이 꼭 해주어야 한다고 제안했다. 나는 얼마나 힘들지 끔찍했지만 그렇다고 피하거나 도망가면 안 된다는 판단을 했다. 그 이유는 미수습자가족 대표가 이런 소통을 내게 요청할 날이 언젠간 오리라 확신했기 때문이다. 세월호 전체 봉사 중 가장 뼈아픈 봉사 중의 하나가 이 부분이다. 10년이 다 되어가도 지면에 세부적으로 나열을 못할 정도이다.

오랜 봉사를 하고 대변인을 했어도 말수가 거의 없고 꼭 필요한 말이나 행동이 아니면 절대 하지 않았던 미수습자가족 ○○○ 학생 아빠와 단 둘이서 대화를 나눠 본 적이 없었다. 대변인의 임무에 따라 잠깐 공지사항이나 아님 전달할 물품이 있는 경우 외엔 전혀 없었다. 또한 웬만한 전달품목도 현관 문고리에 걸어 놓거나 통화나 문자, 카톡으로 연락하는 형태를 취했다. 아들이 축구를 좋아했던 미수습자가족에게 첫 걸음을 뗴었다. 나는 그 가족에게 "중요한 내용이기에 만나서 대화하고 싶다." 라고 전화를 했다. 처음엔 "뭔 일인지 모르겠지만 전화로 했으면 좋겠다."고 했다. 나 역시 "애초 그럴 일이면 굳이 양해를 구하겠느냐?"며 2차 설득을 했다. 나는 엄숙한 마음으로 목포 신항 가족회의실에서 인근 오피스텔로 걸어갔다. 그 미수습자가족은 항상 몸이 안 좋은데다가 특히 허리가 아파서 고생을 많이 했다. 그날도 허리가 안 좋아 힘들어했다. 나는 무슨 말부터 꺼내야 하나, 막상 마주하고 앉아 입을 떼려니까 좀처럼 말이 나오지 않았지만, 지금 하지 않으면 골든타임은 돌아오지 않는다는 것에 깊은 호흡을 하고 말을 시작했다.

미수습자가족 대표와 몇 차례에 걸쳐 나눈 이야기를 먼저 전했다. 대변인이지만 주체는 당연히 미수습자가족이기에 사실을 정확하게 전하는 것이 중요하다는 생각이었다. 나는 이곳에 온 이유와 중요한 사안을 모두 전했다. 그 가족 분은 말을 잊지 못했다. 그렇게 한참을… 나는 다시 한번 더 풀어서 말을 이었다.

나는 "앞으로 대변인이든 봉사자든 지금 이 순간 이후 안 봐도 좋습니다. 다만 어떤 보석이 눈앞에 있다고 감언이설 한들 내 아들이 수학여행 가서 왜 돌아오지 않는 것인지? 누가 정답이라고 손에 쥐어 주지도 않는 나라도 아닌 나라지만. 끝내 돌아오지 못하고 있는 아들도 엄마랑 아빠가 이렇게 오래 고생하시고 힘들어하시는 것을 원하지 않을 수도 있지 않겠냐?"고 했다. 게다가 "세월호 현장에서 부모로서 해야 할 것은 이제 다 마친 것이나 다름없으니, 부디 국가로부터 빼앗긴 아들의 목숨이 헛되지 않도록 이젠 안산 집으로 올라가 심신을 회복한 이후 세월호 진실규명을 위해 할 수 있는 역할이 있으면 그때 마음 가는대로 행보를 하면 어떨지요?" 라는 등의 뜻을 전했다.

국가와 정부 그리고 세월호 침몰 관련자들은 양심을 저버리고 숨었지만 전 국민들의 성원을 오롯이 받았던 '세월호 미수습자의 마지막 품격'을 위해서 결정하실 수 있도록 돕고 대변인이면서 국민의 한 사람인 제가 할 수 있는 것은 뭐든 힘이 되겠다고 전했다. 정적만 흘렀다. 미수습자가족 남학생 부친은 한쪽 무릎을 세우고 석고대죄라도 하듯 고개를 푹 떨군 채 말없는 콘크리트 바닥만 깨고 있었다. 나는 끝까지 피해자가 왜 고개를 숙여야 하는지 분통이 터졌다. 이제라도 누군가 나서 자수해 내가 범인이라고, 잘못했다고, 양심고백할 자가 있다면 처음부터 수백 명의 목숨을 앗아가는 악행도 없었을 것이다.

하루에도 수십 명의 시신이 팽목항에 도착하면 임시천막을 휘감아 울렸던 그 원통한 곡소리가 들려왔다. 미수습자가족들은 결국 그 붉은 비명조차 한번 불러 볼 수 없는, 하얀 거짓말들을 세월호 안에 담을 수밖에 없었던 것이다.

몇 차례 주고받는 대화 속에 결국 결심이 선 듯 힘 빠진 고개를 들어 올리면서 "그래요. 그럼 대변인 말대로 미수습자가족 대표도 결정했다는 거죠?" 나는 "네" 라고 했다. "다른 미수습자가족들은 결정했어요?" 나는 "아니요." 라고 했다. "그럼 기한이 정해졌나요?" 나는 "남학생 미수습자가족이 최대한 빠른 시간에 결단해 주시면 그 다음 교사가족에게 집중해 설득하겠다." 라고 했다. 그리고 가족들 각각 방에 있는 짐들을 다 정리해 안산으로 보내드릴 예정이라고 했더니 "혼자서 이 짐들을 다 정리한다고요?" 나는 "네." 라고 하면서, "지금 결정하시게 되면 밤에 한숨 쉬시고 내일 아침 전체회의가 있는 시간에 이곳 목포 신항 오피스텔을 조용히 떠나시는 것이 적절하다."고 전했다.

왜냐면 "세월호 침몰 이래 가장 민감하고 중요한 사안에 독자적인 결심을 하는 상황이기 때문에, 다른 가족을 특별히 만날 일도 없었지만 어렵게 결심한 만큼 묵묵히 목포 신항을 떠나지 않으면 영영 못 떠나고 매일 수도 있다."고 했다. 그리고 "너무 냉정하다 생각 마시고 제가 대변인과 봉사자로서 지금 이렇게 하는 것이 미수습자가족을 돕는 최선의 방법이라고…." 재차 통촉했다. 미수습자가족은 고개도 들지 못한 채 "그럼 대변인 말대로 내일 아침 전체회의 나가지 않고 바로 안산으로 올라가겠다." 라는 마지막 말을 해주었다.

나는 미어진 가슴이 토할 것 같아 호흡을 연이어 깊이 하고 자리에서 일어나 "국민들에게 감사했던 그 성원에 '미수습자가족의 마지막 품격'을 지킬 수 있도록 결심해 주셔서 다시 한번 감사드립니다. 내일 다른 미수습자가족들을 돌봐야 해서 따로 인사 못 드려도 서운해 하지 마시고 운전 조심해서 가세요." 인사했다.

나는 현관문을 닫고 나가려다 몸을 돌려 "교사가족을 최대한 설득해 안산으로 올려 보내드린 이후, 미수습자가족 대표 방에 있는 짐을 먼저 쌓고, 2차로 이 방 짐을 다 쌓은 후, 교사가족 짐을 모두 쌓으면 1톤 트럭 1대에 실어 안산으로 보낼게요." 라고 했다.

단원고 ○○○ 학생 부친은 "교사가족 등 설득이 잘 안 될 텐데요. 그분들은 많이 힘들 텐데… 어떻게 해요?" 라고 하면서 오히려 미안해하는 눈빛이었다. "대변인이 힘들 텐데… 나야 어떻게든 올라가보겠지만 그 가족들은…." 순간 생각지도 못하고 기대도 안했던 말을 미수습자가족 학생 부모가 직접 표현해 준 것이 고마웠다.

누가 날 위해 "빨간약 발라야 하는데…." 라는 말처럼 들렸다. 나 역시 온몸이 부서지고 온갖 뼈가 시릴 만큼의 통증들을 누구에게 말 한마디 못하고 삼키고 있는데 그 고통을 일말이라도 짐작해 주어 잠시 울컥했다.

나는 "현장이 어느 정도 마무리가 되면 그때 다시 연락드릴 테니 먼저 안산 가서 몸부터 치료 받으세요." 라고 했다.

이쯤 왜 전체회의 참석도 안하고 해수부에 말도 하지 않고 떠나야 하는 이유가 뭐지? 의문을 가질 수 있다. 그것은 기본적으로 해수부는 정부를 대신한 부처였다. 여기서 좀 더 직설적으로 표현하면 해수부 즉 정부 입장에서는 언제나 기다리고 고대했던 프로젝트일 것이다. 대놓고 직접 말을 못할 뿐이다. 나는 미수습자가족들이 국민들과의 화합을 위해 뼈 한 점 못 찾고도 어쩔 수 없이 세월호 현장을 떠나지만, 그렇다고 정부와 해수부에 고개를 숙여가면서까지 인사를 하는 것은 적합하지 않다고 생각했다. 나는 그것이 가족들의 정직한 감정의 언어라고 생각했다. 특히 누구도 결정을 종용할 수 없는 고유 판단을 다른 이유나 사안들로 번복하게 되거나, 돌발적인 문제 발생을 사전에 유의시킴으로써 미수습자가족들의 마지막 품격을 지켜주고 싶은 대의 명분을 대변인으로서 기획했었던 것이다.

다음 날 아침 오피스텔 주차장에서 남은 가족들에겐 약속대로 ○○○ 부친은 방에서 쉬고 있다고 했다. 전에도 그런 적이 있어 달리 묻거나 의심하는 사람이 없었다. 이후 해수부에게도 똑같이 전했다. 나는 전체회의와 해수부회의를 마친 후 잠시 오피스텔에 다녀오겠다고 해수부와 남은 미수습자가족들에게 전했다.

나는 서둘러 그 가족 부친에게 전화했다. "아침식사도 못했는데 함께 식사라도 하실까요?" 라고 했더니 "지금 안산 가려고 주차장으로 나가는 중이에요."라고 했다. 그래서 목포 신항에서 숙소 주차장까지 뛰어갔더니 다행히 출발 직전이었다. 그렇게라도 뼛속까지 시린 이곳 목포 신항 현장을 떠나는 미수습자가족에게 나는 최대한 침울하지 않은 모습으로 손을 저었다. 미수습자가족도 오른팔을 잠깐 들어 올려 저어주고, 차 안으로 들어가 바로 시동 걸고 떠나는 뒷모습을 한참 바라보았다. 너무 가슴 저린 순간이었다.

그렇게 떠나는 뒷모습을 보고 숨을 깊이 세 번 들여 마시고 뱉기를 하면서 바로 단원고 ○○○ 교사가족을 만나기 위해 전화를 했다. 그러나 이런저런 이유로 여의치 않았다. 좀 더 살펴보면 왠지 이상한 생각이 들었다. 워낙 눈치도 빠르고 본인 스스로 생각하고 판단해 실행에 옮기기까지 번복하는 사례가 많아 조심스럽고 세부적으로 잘 살펴야만 했던 가족이다. 미수습자가족 중에서 진심을 다해 많은 시간을 들여 그 가족 분의 수많은 이야기를 듣고 또 들으면서 정성을 다했지만….

나는 그 가족에게 대략적인 대의 명분을 말씀드리면서 좀 더 구체적인 말과 설명으로 차근차근 이해를 구하고 설득하는 과정을 거쳐 결심을 굳히는 과정까지 몇 번의 반복을 거듭했다. 그렇게 나는 단원고 남학생 부모들이 가장 어려울 거라고 했던 그 교사가족의 답을 들을 수 있었다. 그 교사가족은 초창기부터 그 어떤 가족보다 나를 의지하다 못해 매사 의논하고 조언을 구하거나 여러 문제를 해결해 달라고 했던 특별한 상황들이 지속되었기에 항상 살피고 또 살피기를 수없이 성심을 다했던 가족이었다.

왜냐면 다른 미수습자가족들과는 매우 다른 가족의 유형이어서 집중을 잠시라도 놓치면 문제가 발생되는 일이 있었다. 그렇다. 미수습자가족들의 성품과 성향이 모두 똑같을 수 없고, 예민한 재난현장에서 감당할 수 없는 아니, 감당하면 안 되는 것까지 차고 넘친 경우가 너무 많아 그 또한 이 지면에서 일일이 나열하기가 어렵다.

나는 목포 시외버스터미널을 향해 운전해 모시고 갔다. 그 전에도 무수하게 픽업을 했던 곳이기에 익숙한 곳이지만, 그날 교사가족이 안산 시외버스터미널로 가는 버스에 승차하고 안산에 무사히 도착했다는 순간까지 단 1초도 마음을 놓지 못한 유일한 가족으로 추측한다. 그럼에도 버스 창밖으로 떠나는 모습을 보는 내 마음이 무거운 것은 매일반이었다.

그날 마지막으로 남은 일반인가족과 저녁식사를 했다. 그 미수습자가족 분은 병원치료나 시급한 일 외엔 스스로 현장을 떠난 적이 단 한 번도 없었던 미수습자가족이다. 사고 당시 남동생의 막내 딸(당시 6세)은 다행히 구조가 되었고, 그 뒤로 제수씨의 시신을 찾았고, 그 이후 3년 6개월 동안 기다리는 남동생과 조카(당시 7세/남)를 끝내 찾지 못한 것이다. 세월호 304명 사망자 중 한 가족이 4명인데 1명이 사망하고 2명이 미수습자로, 한 가정이 완전히 무너진 처참한 사례이다. 그 가족분은 실종자가족이었을 때나 미수습자가족이었을 때나 다른 가족보다 인생 연륜이 있기도 하고 대부분의 사람들과 화합을 잘하셨다. 그래서인지 웬만하면 진도실내체육관, 팽목항, 목포 신항까지 누구든지 그 가족분을 먼저 찾고 인사드리고 뭐라도 챙겨드리는 편이었던 것으로 기억한다. 그렇지만 학생 부모도 아니고 그나마 교사가족도 아니어서 항상 뒤로 물러서 있고 왕따 아닌 왕따가 늘 따라다녀 어지간해선 발언조차 하는 것을 되도록 자제한 것으로 알고 있다. 사실 누구보다 박식하고 시사도 능했으며 규칙적인 생활과 기억력이 굉장히 뛰어나셨는데 말이다.

다행히 구조가 된 조카(권○○, 여/당시 6세)의 법적 보호자가 고모였기 때문에 항상 뭔가 좀 안타까웠던 적이 많았다. 왜냐면 권○○을 고모가 양육하기 위해 법적인 절차를 마치고 정식 보호자로 지정되면서 가족들 간의 여러 문제가 있었던 것으로 추측한다. 그 가족분은 본래 세월호 사고 발생 전날 영영 돌아오지 않는 남동생과 점심을 먹기로 약속되어 있었는데, 다른 사정이 생겨 다음에 밥을 먹기로 했고, 완도에서 제주도 가는 배를 타고 가는 것으로 알고 있었다. 그래서 세월호 침몰 소식을 들을 땐 남동생과 연관이 없는 것으로 알고 큰 배가 사고 난 것에 놀라 뉴스만 계속 보고 있었다고 했다. 그런데 남동생이 그렇게 된 소식을 듣고 바로 진도실내체육관으로 내려왔던 것이다.

당시 그 가족 중 유일하게 구조된 어린이를 살펴보면 눈이 크고 예쁜 아이로 기억 된다. 사고 당시에 나 역시 뉴스로만 얼굴을 보았는데 직접 얼굴을 본 것은 팽목항이다. 그땐 워낙 언론 보도에 노출이 많아 그로 인해 어린이는 물론 고모가 극도로 스트레스를 받고 조심했던 것 같다.

세월이 흘러 팽목항에서 봉사를 하고 있는데 고모를 마주하며 인사할 일이 생겼다. 나는 너무 뜻밖이라 어리둥절했다. 옆에 그 아이가 있었기 때문이다. 한번 손잡고 응원하는 마음 전해 주고 싶었는데…, 고모가 내게 인사를 먼저 한다. 나는 더 놀랐다. 왜냐면 항상 현장에 와도 아이를 보호하기 위해 사람들을 피해 다니거나 거리를 두었기 때문이었다.

"안녕하세요. 저는 권○○ 고모예요" 라고 반가운 얼굴로 인사하면서 나를 바라본다. "안 그래도 오빠한테 애기 많이 들었어요. 오빠 챙겨줘서 너무 고마워요. 진짜 고마운데 어쩌죠? 저는 뭘 해드릴 수도 없어서요?" 나는 급히 "아, 예, 별말씀을요. 제가 할 일을 하는 것뿐인데요." 이후 몇 마디를 나누고 나는 컨테이너에서 어린이와 둘이서 시간을 한참 함께했다. 나는 한 공간에 둘이서 있는 것이 믿어지지 않을 정도로 감회가 벅차올랐다. 그렇게 놀이도 하고 구연동화로 이야기도 들려 주는데 그럴 때마다 어린이는 익숙하지 않은 웃음으로 웃었던 기억이 난다. 그리고 그림을 그리고 싶다고 해서 모나미 검은 볼펜과 작은 종이를 주었더니 그림을 그렸다. 어린 고사리 손으로 그리는 것을 보니 엄마랑 아빠 그리고 오빠를 그린 것처럼 보였다. 나는 위로하는 마음을 담아 살짝 미소 지으며 쓰다듬어 주었는데 그림을 아무 말 없이 내게 건네주었다. 나는 그때 눈을 마주치면서 "이 그림 선물 주는 거예요?"하자 수줍은 듯 몸을 살짝 꼬아 환한 웃음으로 "네." 라고 말한 후 이불 위에서 뒹굴고 놀았던 기억이 있다.

세월이 흘러 어린이가 초등학교 입학할 때가 된 것 같아 나는 입학 전 고모에게 전화를 했다. 다행히 고모는 밝은 목소리로 인사를 했다. 나는 초등학교 입학할 날이 며칠 남지 않은 아이와 함께 점심을 하고 싶은데 가능한지 물었더니 나 외에 다른 사람이 있으면 어렵다고 했다. 나는 당연히 혼자라고 했다. 약속한 날 그 고모 집 인근 식당에서 우리들은 다시 만났다. 그 자리엔 어린이, 고모의 친언니, 그리고 고모와 내가 있었다. 고모는 진도에서 먼 곳까지 관심 갖고 축하하러 와 주셔서 너무 고맙다고 했다. 나는 오히려 초대에 응해 줘서 내가 더 고맙다고 했다. 그렇게 우리들은 맛있는 점심을 함께 먹으면서 많은 이야기들을 오랫동안 나누었다. 초등학교 입학선물로 이름이나 핸드폰 번호를 새길 수 있는 목걸이를 준비해 전달했다. 아이와 고모 그리고 그 언니도 깜짝 놀라면서 예쁜 목걸이를 펼쳐보며 이렇게까지 마음 써 줘서 너무 감사하다는 인사를 했다.

고모는 언론에서 어린이를 집요하게 달라붙어 유치원도 몇 번 옮기고 이번엔 이사까지 왔다고 했다. 나는 굳이 안 봐도 언론들의 특성을 가히 짐작이 되고도 남았다. 당시 고모는 정말 세련되고 주관이 뚜렷하면서 강단과 카리스마도 넘쳐보였던 기억이 있다. 어린 조카에게 듬뿍 사랑을 줘서 예쁘게 잘 키우겠다는 말씀에 감사했다. 우리들은 아쉬운 마음에 서로의 손을 비벼주고 등을 토닥토닥 해주면서 어린이와도 꼭 안았다. 나는 긴 머리카락을 쓰다듬고 안아 주면서 "어른 말씀 잘 듣고 친구들이

랑 잘 지내고 다음에 또 만나요." 라고 했더니 작은 손을 좌우로 저으면서 인사를 했다. 나는 시동을 걸면서 아이가 예쁘고 바르게 잘 성장할 수 있기를 세월에 놓아두기로 했다. 먼 훗날, 혹여 언젠가, 인연이 있으리라…, 세월호 병풍도 바람에게 전했다.

목포 신항에 혼자 남은 일반인 미수습자가족은 다른 가족이 다 떠난 것에 대해 먼저 심정적으로 충격 아닌 근심이 가득해 보였다. 나는 앞서 미수습자가족들에게 마지막 품격을 지키기 위한 몇 가지 사항을 말씀드렸듯 그분께도 결정하시는데 필요한 시간을 드릴 테니 대략 날짜를 정해달라고 부탁드렸다. 그런데 며칠 동안 일체 식사도 혼자 하신다고 하고 전체회의 시간 외로는 꼼짝하지 않았다. 오히려 대변인과 마주치지 않으려 전체회의 갈 때도 먼저 걸어가시고 해수부 차량도 거부하면서 고심하는 것을 알고 있었지만, 다른 도리가 없어 그나마 저녁식사만 함께하는 것으로 서로에 대한 배려를 했었다. 그 뒤로 몇 번 구체적인 이야기를 하고 몇 번 더 소통을 했다. 그러던 어느 날 저녁식사 하러 가자고 연락드렸더니 드디어 나오셔서 함께 식사를 하고 난 이후 차분하게 다시 여쭈었다.

마지막 남은 단 한 가족 2명의 미수습자가족이 하신 말씀이 지금도 생생하다. "다른 사람이 말했으면 씨알도 안 먹히는데 세월호 처음부터 지금까지 얼마나 많은 고생을 하고 말도 안 되는 억울한 욕을 다 먹고 누명 써도 꼼짝하지 않고 항상 우리들 곁에 있어 준 그 마음이 진심인 것을 아니까… 그걸 모르는 놈들은 사람새끼도 아닌데…. 난 금비님이 이렇게 포기하지 않고 설득을 끝까지 해 준 것이 고마워. 내가 뭐라고… 여하튼 우리 금비 대변인이 말해서 결정해 떠나는 거지. 딴놈들이 말했으면 어림도 없어." 라고 말씀하시면서 점점 얼굴에 화색이 돌면서 환하게 웃으셨다. 나 역시 마지막 미수습자가족에게 "정말 가슴 아픕니다." 그렇게 한참을 먹먹해 했다.

그 많은 가족을 잃고도 현장을 지키면서 남동생과 조카의 유품이라도 있을까 싶어 팽목항 유품을 모아 놓은 곳도 허구한 날 가서 찾고 또 찾아보고, 목포 신항에서 남동생 화물차 나왔을 때도 혹시나 남동생을 찾을 수 있을까? 라는 기대 속에 몇 날을 밤잠 이루지 못했는데, 결국 남동생을 찾지도 못한 것을 알게 되었을 땐 몇 년 동안 몸살도 없으셨던 분이 병원에 입원까지 하고 크게 아프서서 무척 고생했던 기억이 생생하다.

이젠, 가슴에 묻겠다

미수습자가족 대표에게 전화가 왔다. 서둘러 가족회의실이 아닌 다른 컨테이너에서 만났다. 미수습자가족 대표와 나는 그동안 국민들에게 많은 심려를 끼쳐 드리고 또한 국민적 관심과 호응을 해주신 것에 대해 감사드린다는 기자회견을 하자는 뜻을 모았다. 우린 예정했던 날짜에 실행하는 것을 결정했다. 상징적인 세월호 앞에서 기자회견을 공식 발표하고 남은 미수습자가족과 대변인은 대표를 중심으로 나누어 서 있기로 했다. 기자회견문은 아빠의 굵은 눈물을 머금고 써 내려간 마음이 한 자 한 자 담겨 있었다.

다음 날 각처에서 미리 도착해 자리 잡은 언론인들로 북새통이었다. 우리들은 약속된 시간에 세월호가 바라보이는 곳으로 걸어갔다. 지금도 그 순간만큼은 잊을 수 없다. 아마도 평생 잊지 못하는 역사의 한 순간일 듯싶다. 2014년 11월 11일 침몰현장, '실종자 수중수색 중단'을 진도실내체육관에서 기자회견을 했었던 것처럼 말이다. 그런데 해수부에서 준비한 마이크가 이동용 마이크만 준비되어 있어, 부득이 대변인인 내가 미수습자 가족 대표 앞에 한쪽 무릎을 세우고 다른 한쪽 무릎은 목포 신항 시멘트 바닥에 꿇고 기자회견이 다 끝날 때까지 마이크를 들고 있었다.

미수습자가족들은 모두 잠을 제대로 이루지도 못한 채 진도 실내체육관 기자회견의 악몽을 이어 또다시 세월호 앞 마지막 기자회견을 위해, 국민들 앞에 선다는 것에 대해 무거운 마음은 어떤 말로도 형용할 수 없었다. 나 역시 대변인으로서 처음이자 마지막으로 국민들 앞에 서게 되는 자리이기도 했다. 다만 기자회견문 낭독을 대변인에게 요청했지만 대표가 국민 앞에 서는 것이 적절하다는 생각에 재차 권했다. 미수습자가족대표가 낭독하기로 했기 때문에 그로 인한 아픔을 잠시 뒤로 할 수 있었다.

2017년 11월 16일 드디어 미수습자가족 대표의 기자회견이 시작되었다. 대표는 아들을 찾지 못한 마음을 꾹꾹 눌러 담아 직접 써 내려간 회견문을 읽기 시작했다.

"세월호가 목포신항에 거치된 후 저희 가족들은 유해라도 찾을 수 있을 것이라는 희망으로 매일 아침 세월호를 바라봤습니다. 내 아들, 남편, 동생과 조카를 찾고 싶은 간절한 마음으로 3

년 7개월 정도를 보냈지만 끝내 5명은 가족의 품으로 돌아오지 못했습니다. 일각에서는 저희 가족들을 못마땅하게 보고 있다는 것도 알고 있습니다. 그러나 가족이 너무 보고 싶어 내려놓지 못했습니다. 뼛조각 하나라도 찾아 따뜻한 곳으로 보내주고 싶다는 간절한 희망으로 여기까지 왔고 더 이상의 수색은 무리한 요구라고 판단해 저희를 지지해주시는 국민들을 더 이상 아프지 않게 해야 한다는 결론을 내렸습니다. 평생 갚지 못할 큰 사랑을 받았습니다. 그분들이 실망하시지 않도록 열심히 살겠습니다."

우리 미수습자가족들은 어떻게든 참아보려고 했다. 그러나 끝내 우리 가족들은 붉은 이름을 부르지도 못한 채 하얀 눈물로 희망을 접어야만 했다. 기자회견을 마치자마자 미수습자가족 아빠들은 고개조차 들지 못한 통탄함을 가슴에 묻고, 엄마들은 눈물조차 녹슬어 검붉은 쇳물로 세월호 바닥이 툭툭 패였다. 나는 하루를 산다는 것이 이토록 괴로운 것인가? 생사를 묻지 않을 수 없었다.

옛 어르신들께서 하신 말씀이 생각났다. "살아만 있어라." "살아있으면 언젠가 만날 수 있다." "건강만 해라." "건강만 하면 언젠간 만나게 된다."

어느 날 생존자 P씨에게 연락이 왔다. "요즘 미수습자가족들을 목포 신항에서 떠나게 하려고 설득하러 다닌다고 하는데 그 말이 정말인지 직접 묻고 싶어 연락했다."는 것이다. 나는 "네."라고 했다. 생존자가족은 "금비님은 그렇게 고생은 고생대로 다하면서 좋은 소리 한번 듣지도 못하는데 왜 또 이번에 이런 일을 하냐고, 혹시 해수부에서 그렇게 하라고 회유 받았냐?" 물었다. 나는 명확하게 "아니요."라고 했다. 생존자가족은 안타까운 목소리로 "그럼 이 일을 왜 하냐?" 나는 "대한민국 국민의 한 사람이고 미수습자가족 대변인으로서 마땅히 해야 할 일이라고 판단해 할 뿐이지 누가 등 떠밀어 하는 것 없다." 그랬더니 정말 걱정된다는 뉘앙스로 "지금 유가족이 어떤 분위기인지는 알고 있나요?" 나는 "네." 라고 했다. 이어 생존자가족은 "아휴 모르겠습니다." 안타까워했다. 그래도 유가족 입장이 아니어서 그런지 나름 편향된 생각을 하지 않으려고 노력한다는 것 정도는 알 수 있었다. 그래도 이쯤에선 나의 주관과 입장을 한 번 더 명확하게 전달할 필요가 있다는 생각에 말을 이었다.

나는 "미수습자가족의 이름으로 숱한 고통을 감당하고 있는 동안 대체 유가족과 생존자가족의 이름으로 언제까지 미수습자가족의 희생 아닌 희생을 더 끌고 가실 건가요? 제가 잘못 생각한 추측인가요? 유가족 입장에선 목포 신항 세월호 현장에 미수습자가족들이 없는 것보다는 함께 있으면서 선체 보존 방식이나 앞으로 선체 사용 방안 등에 대한 여러 이유로 미수습자가족이 남아 있기를 바라는 것 아닐까요? 하지만 정말 더 이상은 미수습자가족을 위해서 아니라고 생각합니다." 절규하듯 전했다. 그러나 그 생존자가족에겐 그 어떤 말을 들을 수 없었다. 다만 "그래도 몸 좀 돌봐가면서 하세요. 저번에도 쓰러지셨다는 말 들은 것 같은데요." 했다.

그땐 미수습자가족, 유가족, 생존자가족, 해수부, 행안부, 선조위(선체조사위원회), 특조위 등등 모두가 예민하고, 극도로 신경이 다 뾰족하게 서 있는 전쟁통 한복판 중요한 시점이었기 때문에 나는 더 이상의 말을 아꼈다.

그것 아니어도 천지를 바쁘게 뛰어 다녀도 잠잘 시간이 부족했었던 시점이었다. 그렇지만 잊지 않고 내 마음에게 혼자 독백하면서 전한 말이 있다. 유가족은 벌써 3년 6개월 전 장례도 다 치르고 각자 일상생활로 돌아가 적응해 살고 있거나, 일부는 4.16 가족협의회 활동을 하면서 투쟁을 이어 가신다 해도, 그분들이 미수습자가족들의 심정을 얼마나 생각할지 말이다. 미수습자가족들이 아들도 가족도 없는 세월호만 바라보고 목포 신항을 떠나면 안 된다는 것은 언제까지 장례도 치르지 말라는 것인가? 3년 6개월이 넘도록 미수습자가족들이 숨쉬기조차 힘들어 얼마나 죽을 것 같은데 말이다.

나는 유가족이든 생존자가족이든 누구라도 나서서 "목포 신항 세월호는 우리들이 지킬 테니, 뼛조각 하나 못 찾았지만, 아들과 가족들 잘 보내주고 몸부터 추스려 병원도 가고 그러다가,

어느 날 아들이 보고 싶어 못 참으면 그때 한번 훌쩍 이곳에 오면 우리가 반겨줄게요."

단 한 명이라도 미수습자가족들에게 이렇게 말해 준다면, 시신도 없는 빈 관에 세월호 침몰현장 해저 40m 흙을 들고 장례식장으로 가야 하는 미수습자가족들에게 얼마나 위로가 될 것인가. 따로따로의 이름이 아닌 세월호 희생자로 하나 된 이름으로 세월호 침몰의 진실한 피해자가족이 되지 않았을까, 라는 생각을 혼자 해 볼 뿐이었다.

음모였을까

목포 신항을 출발한다. 얼마만인가? 꼬박 3년 7개월 만이다. 출가 사흘을 앞두고 진도실내체육관에 도착해 팽목항, 목포 신항을 뛰어 다녔던 모든 걸음들을 놓고 목포대교를 넘어가고 있는 것이다. 나는 처연한 마음으로 바다를 바라보았다. 불현듯 미수습자가족 대표가 대변인을 요청했을 때, "금비단장님은 우리 가족들 모두 밑바닥까지 다 본 유일한 세월호 봉사자예요. 특히 모진 말로 별의 별 말도 안 되는 말과 행동들을 얼마나 했어요? 그런데 금비단장님은 한 번도 등 돌리지 않고 팽목항도 떠나지 않으면서 인양하고 목포 신항 거치 후에도 우리 가족들 곁에 남아 살펴주는 것은 금비단장님 밖에 없잖아요? 그래서 우리 미수습자가족들은 다른 사람은 절대 못 믿어도 믿을 수 있는 분은 금비단장님 뿐이라고…."

그렇게 지옥인 줄 알면서도 뛰어 들어갔던 내 걸음들…. 나는 먼저 안산장례식장을 향했다. 사실 목포 신항에서 미수습자가족들의 장례를 진행하기 위해 수많은 의견과 절차가 있었다. 그 중 하나는 오랫동안 미수습자가족들을 함께 봐 온 입장에서 나로선 충분히 이해가 되는 일이지만 혹여 "뭘 그렇게까지 해?" 라고 할 수도 있지만, 맞고 틀리고가 아닌 있는 그대로 살펴보고 싶다.

그것은 미수습자가족들의 장례 장소의 건이었다. 당시 남학생 부모들은 다른 가족들과 동일한 장소에서 장례를 원하지 않았다. 그러려면 교사가족과 일반인가족의 장례 장소가 달라야 했다. 다행히 일반인가족은 거주지가 서울이었기 때문에 장소가 분리될 수 있었지만 교사가족은 안산이 거주지였기 때문에 달리 방법이 마땅하지 않았다. 더군다나 국민들의 시선도 있고 해서 말이다. 결국 안산에 있는 동일한 장소로 장례식장이 결정되었다.

그러나 학생가족들은 장소가 동일해 불편한 심경을 전해 대변인으로서 층수를 달리하여, 최소의 거리를 유지시켜 심신의 안정을 유도했고, 교사 가족에게는 논쟁의 중점을 자연스럽게 다른 방향으로 돌려 오해가 발생되지 않도록 각각 존중해주었다. 세월호 초창기부터 무려 4년이 다 되도록 갖고 있는 잠재적 불편함을 있는 그대로 존중하는 것이 적절하다는 생각이었다. 왜냐면 재난현장에서 대놓고 부딪히거나 큰 다툼을 피하려고 양쪽 다 애를 썼던 긴 세월이 있었기 때문이다. 대변인으로 서 한쪽 편에 서지 않는 것이 원칙이었기 때문에 각각의 입장과 생각을 존중하는 것이 매번 쉽지 않았지만 차선책으로 장례식 장의 층수를 분리했던 것이다. 그런 분리 속의 균형을 맞추거나 일정 거리를 두어 조화를 이루는데 도움이 되고자 노력을 아끼 지 않았다. 덕분에 대변인과 봉사자 몸은 하나인데 조문이라는 특정한 상황에서 누구 편의 공간에서만 있으면 상대적으로 서 운해 할 수 있는 입장이었다. 또한 일반인가족 장례식장은 서울 에 있었기 때문에 시간을 잘 분배해야 하는 것이 중요했다.

모든 장례를 다 마치고 새벽녘 대전에 도착했는데 온몸의 전 류가 끊겼다. 내 몸의 모든 선들이 쓰러졌다. 어떻게 도착했는 지조차 모를 정도로 정신을 잃었다. 겨우 정신 차려 물 한 모금 먹고 핸드폰을 열어보았다. 엄청난 뉴스가 뜬 것을 본 순간 지 구가 멈춘 줄 알았다.

2017년 11월 17일 오전 11시 20분경 선체 수색 정리를 담당 한 코리아셀비지 소속 작업자 박모(60/여) 씨가 세월호 객실에 서 꺼낸 물건들을 세척하는 과정에서 뼈를 발견한 것이다. 이 에 작업자 박씨는 매뉴얼에 따라 가족회의실 맞은편에 자리 잡 은 세척장 옆 작업대에 보관했다는 것이다. 그 무렵 항상 목포 신항 내에 함께 근무했던 국방부 유해발굴단 소속 백모 씨는 작업대에 뼈가 보관된 것을 발견하고 사람의 뼈로 잠정 판단을 한 것이다.

백모 씨는 오전 11시 24분경 목포 신항 현장수습본부 수습팀장에게 전화를 했고 '사람의 뼈'로 추정되는 유해 1점이 발견됐다고 보고를 한 것이다. 이후 11시 30분경 국방부 유해발굴감식단 사무실에서 이 내용과 관련해 대외협력과장에게 이를 보고했다. 그러나 이때 현장수습본부 김현태 부단장은 바로 상부에 보고를 하지 않은 것이다. 이유는 다음날 미수습자가족들이 3년 7개월 만에 '시신도 없는 장례식'을 거행하는 날이라서 혹여 차질이 발생될까봐 장례를 다 마치고 삼우제가 지난 이후 유해 발굴 사실을 전해드리려고 했다는 것이다. 바로 이 부분이 가장 중요한 대목이다.

사실 그날 오후엔 대한불교조계종 총무원장(설정)님이 방문한 시점과 맞물렸다. 왜냐면 대외협력과장이 김현태 부단장에게 보고를 받은 시간이 이 정도의 시간인 것 같다. 그땐 누구 할 것 없이 모두 경황이 없었고 정신줄 잡기가 힘들었던 시간들이었다. 그날 현장수습본부장인 이철조 단장에게 김현태 부단장은 전화를 걸어 유해 발견 사실을 미수습자가족에게 알리기로 의견을 모았고, 그에 따라 미수습자가족들에게 순차 별로 전화해서 알렸던 것이다. 이때 현장수습본부 김현태 부단장의 의견에 따라 당시 해수부 김영춘 장관과 김양수 차관에게 유해 수습

사실을 보고하지 않았다고 했다. 그렇게 목포 신항에서 미수습자 합동추모식 거행 후 안산과 서울로 나눠진 장례식장의 추모 상황을 언론이 국민들에게 보도한 지 얼마 되지 않았던 시점에 뼈 사건이 터진 것이다.

'해수부 뼈 은폐 사건'으로 각종 언론들이 하루 종일 한 달 내내 연일 톱뉴스와 메인 기사로 다루는 보도는 대한민국을 뒤흔들 정도였다. 특히 당시 문재인 대통령이 발 빠르게 나서서 이런 사태가 발생된 것을 매우 유감스럽게 생각하며, 미수습자가족들에게 위로의 말씀을 전한다는 것과 각 부처의 담당자들에게 신속한 경위를 밝혀 엄중한 책임을 묻겠다고 한 것이다. 나는 지금도 뼈 은폐 사건을 생각하면 몸이 먼저 알아 뼛속부터 저리고 쑤신다.

처음엔 멘붕이 왔지만 결이 다른 멘붕이었고 다음날엔 답답한 가슴만 치달아 올랐다. 그러나 미수습자가족 대변인으로서 세월호 피해자가 아닌 입장에서 섣부른 행동을 하는 것은 적합하지 않다는 생각에 혼자 끙끙 앓았다. 나는 가족들이 여러 가지로 심정이 여의치 않을 수 있는 상황은 이해하지만 냉정하게 현실을 살펴보면 분명 미수습자가족의 말이 꼭 필요하다는 판단이었다. 왜냐면 미수습자가족들이 '사실과 진실의 말'을 국민 앞에 밝혀야 한다는 것이 내 생각이었기 때문이다.

미수습자가족 대표와 통화를 했다. 먼저 미수습자가족들이 심신을 추스려도 시원치 않을 시기에 이런 일이 발생되어 매우 안타깝다는 마음을 전했다. 가족대표도 그 부분에 대해서는 동의하면서 매우 힘들어했다. 그러나 미수습자가족 대표는 "애초 이런 일이 발생되지 않았다면 다행이었겠지만 우리 가족들이 목포 신항 현장에 있을 때였으니까, 장례식 전날 저녁이라도 우리 미수습자가족들에게 말을 해 주었으면 가족들이 크게 뭐라고 하진 않았을 것 같기도 하지만 생각이 서로 다를 수 있다." 했다. 참고로 항상 어떤 문제가 발생하거나 결정을 해야 할 일이 있을 땐 대부분 학생가족의 의견 및 주장과 판단에 거의 뜻을 모았었다. 그리고 대표는 "미수습자가족들이 다음날 장례를 취소하거나 보류하는 등 목포 신항 현장을 떠나지 않는다고 할까봐, 여러 걱정에 우리 가족들에게 말하지 못한 것 아닐까? 라는 생각도 해 보는데 사실, 그동안 우리 애들 찾겠다고 하면서 미운 정 다 들었는데 너무 배신감 느껴서 생각이 정리가 안된다."고 했다. 나는 미수습자가족 대표의 심정도 충분히 알고도 남았다. 왜냐면 목포 신항 현장 떠나기 전, 그런 비슷한 말을 여러 번 했었기 때문이다.

나는 당장 하고 싶은 말의 진실이 있었음에도 차마 입 밖으로 내뱉는다는 생각을 하자 온몸이 공포로 누전되었다. 왜냐면 목포 신항에서 미수습자가족들이 항상 내뱉었던 그 말의 사실에 분명 답이 있었기 때문이다. 결국 미수습자가족 대표가 그 말

한마디만 하면 '해수부 뼈 은폐 사건'은 엄밀하게 전혀 아닌 것이었다. 최소 미수습자가족에겐 말이다.

이쯤 되면 대체 그 답이 무엇이라는 것이지? 라고 의문이 들 것이다. 그것은 '해수부 뼈 은폐 사건'의 열쇠를 미수습자가족들이 애초 갖고 있었다는 것이다. 다시 되돌려 세월호 재난현장 목포 신항으로 돌아가 본다. 선체 수색이 한창 진행되던 어느 날 어떤 미수습자가족이 가족들과 있는 자리에서 한 말이다. 그 미수습자가족은 팔뚝 하나를 앞으로 툭 내 밀고 다른 팔은 내민 팔의 팔꿈치를 받치는 모양새를 하면서, "앞으로 자잘한 뼈가 발견되면 미수습자가족들에게 알리지 말고 DNA 검사 후 그 미수습자가족 당사자에게만 조용히 알려줘라." 말했다. 그렇다. '팔뚝만한 뼈가 나오면 미수습자가족들에게 다 말해주라.' 고 했던 것이 열쇠인 것이다. 나는 대변인이면서 국민의 한 사람으로서 바로 이 부분을 중요하게 짚고 싶다는 것이다.

사실 뼈 한 점 찾지 못한 미수습자의 뼛조각도 아니고 이미 유해가 발견되어 유가족의 이름으로 소원 아닌 소원을 이룬 그 유가족들의 뼈만 연이어 나오게 되었던 그때인 것이다. 이에 따라 남은 미수습자가족들은 번번이 희망을 갖고 가슴 졸이며 놀란 마음으로 달려가 확인해보면, 다른 유가족들의 유해로 나오게 되어, 애가 탔던 때였다.

결국 남은 미수습자가족들은 이런 일이 한두 번도 아닌지라 구체적인 형태와 말로써 직접 팔뚝만큼 이란 예시까지 들어, 정확한 의사 표시를 해수부에 요청했던 것을 알고 있는 사실이 진실의 열쇠란 것이다. 나는 미수습자가족들에게 행여 불편하거나 억울한 소리를 또다시 듣는다 하더라도 더 이상 '사실과 진실'을 늦추는 것은 문재인 대통령과 경악한 국민들에게, 미수습자가족 대변인과 세월호로 출가한 나의 화두에, 적절하지 않다는 결단을 했다. 큰 용기를 내어 미수습자가족 대표에게 말했다. 그리고 다른 미수습자가족들에게도 사실을 사실대로 알리는 것이 국민들과 미수습자가족들이 해야 할 소명이라고 요청했다. 그러나 미수습자가족 대표는 내게 "가만히 계세요. 아무것도 하지 마세요." 라고 했다. 나는 그 말을 듣고 하얀 속만 타올랐다.

그날, 미수습자가족 대표에게 나는 가슴 아픈 말을 하지 않을 수 없었다. "세월호가 침몰되기 전 수백 명 목숨이 살 수도 있었는데 선내 방송에서 학생들에게 '가만히 있으라.'는 방송을 계속해 구조가 될 줄 알고 선내 안에서 기다리다 가족들 곁으로 돌아오지 못하게 된 것을 잊었나요?" 라고 격하게 말했다. 그러나 미수습자가족 대표는 "너무 혼란스러워 당장 뭐라 말은 못하지만 어쨌든 우리 가족들에게 말하지 않았던 것은 잘못 아닌가요?" 나는 대표의 그런 생각에 이해를 하지만 조금만 더 냉정하게 살펴봐야 한다고 정면 돌파했다. 그렇게 우리들의 대화는 온도 차이가 극렬했다. 그렇지만 대표의 마음을 모르는 것이 아니기에 좀 더 생각을 정리할 시간이 필요하다는 판단에 뉴스가 보도될 때마다 안타깝지만 도리가 없었다. 미수습자가족 대표는 더 이상 말을 못했다.

세월호 304명 희생자 중 가장 뼈저린 우리 미수습자가족들이 측정할 수 없는 고통 속에 있었지만 누구도 알지 못한 그 열쇠의 주인은 미수습자가족들의 입이었고 심장이었다. 그러므로 나는 어떤 욕을 감수해서라도 미수습자가족 대변인과 국민으로서 부끄럽지 않게 이런 '사실과 진실'의 말을 하지 않으면 정부를 대신한 해수부는 물론 문재인 대통령까지 강력하게 묻고 규탄한 시점에, 누군가는 평생 몇십 년 다닌 직장을 잃어버리고 평생 불명예를 떠안으면서 사회적으로 큰 불이익을 감수하고 남은 인생을 질질 끌려 살아야 한다는 것이다. 분명 죄가 있는 사람은 그에 따라 처벌받고 책임을 지는 사회와 국가가 마땅하다. 그럼에도 혹여 억울하거나 다소 죄를 의심할 수 있는 부분은 공정하게 소명할 기회를 반드시 보장함으로써, 이 사회와 국가의 공동체 구성원으로 함께 공존해 나아가야 하는 소중한 생명체인 것이다. 행여 내 아들 목숨 빼앗아 갔으니 억울해도 당해봐? 라고 한다면 그것은 우리가 세월호 진실규명을 외치고 투쟁하는 정체성에 적절하지 않다는 것이 내 판단이었다. 왜냐면 그들 또한 어떤 가정의 가장이고 가족일 테니 말이다. 원론적인 것을 살펴보면 당시 현장수습 김현태 부단장이 해수부 내의 내부적 보고 체계 과정을, 개인의 판단을 근거로 보류하거나 지연시킨 점에 대해서는 마땅한 책임과 그에 따른 질책이 있어야 한다는 것은 동감한다. 그러나 11월 17일 목포 신항 현장에서 팔뚝만한 뼈도 아니고 작은 뼈가 발견되었던 상황에선 그동안 미수습자가족들의 요청대로 국과수 DNA 검사 결과가 나오면 당사자 가족에게 조용히 알려주면 되는 것이었다.

즉, 미수습자가족들이 목포 신항에 있었고 장례를 치르지 않았어도 그렇게 진행되었어야 했다는 것이다. 문제는 해수부 내부의 보고 및 기타 관련 사항이 문제인 것이지 애초 '뼈 은폐'는 없었다는 것이다. 적어도 미수습자가족들에겐 말이다. 그러나 이런 내용을 까마득하게 알 수 없는 문재인 대통령이나 언론과 기자들은 눈앞에 나타난 현상만 갖고 보도할 수밖에 없고 문재인 대통령 또한 미수습자가족들에게 크게 미안한 마음에 앞서 브리핑까지 했다는 추측이었다. 나는 '해수부 뼈 은폐 사건'으로 극도의 불신과 피로감을 호소하는 국민들을 위해서라도 간단한 인터뷰를 미수습자가족들이 빠른 시간 안에 명확히 하는 것이 꼭 필요하다고 생각했던 것이다.

사실 내 아들과 가족을 찾지 못한 고통을 평생 지고 살아야 하는 가족들이 대변인에게 서운할 수 있지만, 미수습자가족들이 입을 닫고 있음으로 인해 누군가 조금이라도 억울할 수 있는 현실이 생긴다면 이 또한 미수습자가족들이 보이지 않는 가해자로 자처할 수도 있다는 생각이 들었다. 아무리 재난현장의 피해자라고 해도 '인권'은 국민의 이름 앞에 공평해야 한다는 생각이었던 것이다. 훗날 세월이 흘러 사회공동체 일원으로 일상생활을 살아가기 위해선 돌이킬 수 없는 선을 넘으면 안 된다는 것이 공고한 이유였다. 결국 나는 가만히 있지 않기로 결단했다. 세월호 침몰 당시 생존자들은 대부분 가만히 있지 않았기 때문에 생존의 가능성이 있었던 것처럼 말이다.

나는 목포 신항 현장에서 대변인을 하면서도 현장수습본부 이철조 단장과 김현태 부단장과는 믹스커피 한잔, 냉수 한잔도 먹은 적 없다. 당시 '해수부 뼈 은폐 사건'으로 해수부장관, 이철조 단장, 김현태 부단장 등이 해직과 파면으로 치닫고 결국 이철조 단장과 김현태 부단장은 해임되었다.

그리고 해수부 관계자들은 미수습자가족들을 몇 번 찾아가 사과를 한 것으로 알고 있다. 사실 3년 7개월의 긴 세월에 장례식을 하루 앞둔 시점의 교집합은 미수습자가족들에게 전조증상을 다시 잇는 단초가 되지 않았을까? 왜냐면 목포 신항에서 팔뚝만 한 뼈가 나오지 않으면 국과수 DNA 검사 결과 나온 후 그 당사자 가족들에게 조용히 알려주라고 한 것을, 미수습자가족이나 해수부 양쪽 다 장례식 등으로 경황없어 잠시 잊었다 해도 각자 생각해보면 쉽게 알 수 있는 사실인데도 대변인에겐 가만히 있으라고 했던 것이다. 또한 다른 미수습자가족은 "굳이 해수부에 뭘 말해주나?" 라고 했고 어떤 가족은 "대변인이 다 알고 있으니까 직접 말하라." 라고 했다.

순간 나는 정말 힘든 길만 가고 있다는 생각이 들었다. 그러나 물러설 수 없었다. 왜냐면 세월호 침몰은 누군가의 거짓된 권력과 부의 축적을 위해 수백 명의 목숨을 국가와 정부가 빼앗아 갔다는 믿음은 변함이 없었기 때문이다. 나는 세월호 진실규명을 당장 내 손으로 할 순 없어도 지금 내가 서 있는 이 자리에서 진실을 규명할 수 있는 것이 있다면 바로 그것을 실행하는 것이 세월호 진실규명으로 가는 작은 모래알갱이라고 생각했다. 우리 사회에 '공공의 진실과 사실'을 알려 제자리로 돌려놓기 위해서는 철저한 '공심(空心)과 중심(中心)'으로 묵묵히 나아가기로 했다.

나는 미수습자가족들을 일일이 만나 목포 신항 현장에서 가족들끼리 스스로 뱉은 말과 대화를 상기시켜 사실을 인정하고 누군가에게 불이익을 주지 않는 미수습자가족이 되길 설득했다. 어떤 미수습자가족은 기다렸다는 듯 단번에 똑같은 생각이라면서 동의를 해주신 분이 계셨지만, 어떤 가족은 시간을 좀 더 달라는 분도 계셨고, 또 다른 분은 전화 연결이 안 되었고, 어떤 분은 왜 우리가 그렇게까지 해야 하냐고 했다.

전국으로 흩어진 미수습자가족들을 만나기 위해 돌아다니면서 몇 번의 소통과 거절 그리고 번복이 이어지면서 시간이 지체되었지만, 어떻게든 나는 미수습자가족들의 생각을 잘 듣고 소통함으로써 공공의 사실을 위한 결정을 가족들 스스로 결심할 수 있도록 진심을 다해 안산의 한 카페를 찾았다. 미수습자가족들이 잠재적으로 내재된 여러 가지 복잡한 마음들을 먼저 살피는 것이 중요했다. 나는 설득하면서 또 다시 상처가 되는 말들을 많이 들었지만 가만히 있으면 어떤 사안을 받아들이고 인정하는 시간과 거리가 줄어들지 않아 변화시킬 수도 없고, 결국 방조한 공범 아닌 공범이 된다는 사실에 그 또한 새로운 길을 만들어 가야 하는 사명이라 생각했다.

나는 미수습자가족들에게 목포 신항에서 해수부에게 강력하게 요청했던 그 말, 팔뚝만 한 정도의 크기가 아니고 자잘한 뼈는 국과수 DNA 검사 결과 후 당사자 가족에게 조용히 알려주라고 했던 내용을 담아 미수습자가족 각자가 자필로 쓴 내용을 전해 달라고 했다. 왜냐면 사람이 하는 일은 비상식적인 감정이란 부분으로 인해 어떤 변수로 뒤덮어 씌워 비수를 꽂을지 아무도 모를 일이기 때문이었다. 아무리 선의에 뜻을 가지고 봉사를 했어도 누명은 물론 재난현장의 피해자를 앞세워 갑의 위치에서 언론과 주변을 좌지우지할 수도 있는 상황을 배제할 수 없어 정직한 진심과 정성을 다했다. 나는 안산에서 미수습자가족을 만나 첫 글을 받고 서울에 거주하는 미수습자가족을 만나러 갔다.

이후 부산을 갔다. 다행히 그 미수습자가족은 워낙 이해도 빠르고 대변인이 생각한 것에 응원을 보낸다고 하면서 "파이팅 하세요." 라고 했다. 그렇게 여러 지역을 거치고 안산을 다시 방문해 다른 미수습자가족과 가족대표의 글을 받고 마침내 종지부를 찍을 수 있었다. 말이 간단하지 이 또한 일일이 거론할 수조차 없는 수많은 일들과 고통이 난무했다.

미수습자가족 담당 청와대 행정관에게 전화했다. 물론 사전에 미수습자가족들과 공유했다. 나는 해수부 '뼈 은폐 사건'으로 인한 미수습자가족들의 입장과 사실을 자필로 모아 놓은 것을 문재인 대통령에게 전달될 수 있게 해 달라고 요청했다. 답변이 왔다. 미수습자가족 대변인의 자격으로 모월 모시 청와대로 들어와 달라는 내용이었다. 며칠 후 청와대로 들어갔다. 나는 가족들이 자필로 작성해 준 글(탄원서)과 대변인의 글도 포함해 보자기로 정성스럽게 포장해 들고 갔다. 왜냐면 끝까지 그 어떤 것도 정성을 다하지 않으면 안 된다는 나의 '가치적 중심'이 있었기 때문이다. 나는 담당행정관과 여러 대화를 나눈 후 "미수습자가족들이 특별히 마음 내준 글(탄원서)이니 문재인 대통령에게 잘 전달되길 바란다."고 전했다.

다음 날 나는 세종청사 인사혁신처에 민원을 제기하러 갔다. 왜냐면 미수습자가족들의 고통이 더 이상 가해지길 원치 않았기 때문이다. 그래서 힘들지만 속도를 내기로 했다. 나 역시 다 처음 해 보는 일이다. 그렇다고 누가 옆에서 코치를 해 준 적도 없고 어떤 사람이 해 달라고 요청한 적도 없는 것을 맨발로 가는 것이다. 목포 신항 출발 후 목포대교를 넘을 때만 해도 장례 마친 후엔 나 역시 지친 몸과 마음을 추스르고 병원 치료도 받으면서 회복을 하려고 했는데 어림 반 푼도 없는 현실 속에 누구한테 하소연도 못한 채 외롭고 고독한 투쟁을 했다.

그런데 청와대까지 다녀와서 대변인은 인사혁신처를 왜 갔을까? 라는 생각을 할 수 있다. 게다가 인사혁신처는 우리나라 모든 공직기관에서 근무하는 사람들에겐 매우 중요한 곳이다. 말 그대로 모든 인사와 그로 인한 선택과 결정에 책임을 지는 곳이다. 나는 맨땅에 헤딩한 걸음들이 이어지면 이어질수록 무척 아프고 피가 철철 날 정도로 무색하기 짝이 없을 지경이었다. 그럼에도 나의 철칙 중 하나는 어떤 일로 사선(斜線)이 벌어졌을 때 '공공의 가치'가 더 우위에 있다고 결단할 경우엔 적절하거나 적극적인 개입(介入)을 하면서도, 항상 지켜야 하는 것은 누구의 편이나 누구의 이익만을 위해 다른 행위를 하는 것을 금기로 여기는 것이었다. 나의 '중도(中道)적 가치'를 중심에 둔 것이다.

나는 인사혁신처에 미수습자가족들과 대변인인 내가 자필로 쓴 탄원서와 자료를 첨부해 제출했는데 계속 일정이 바쁘다는 말로 시간만 뒤로 갔다. 물론 개인적으로는 뭔들 이해 못 할 상황은 없었지만 '해수부 뼈 은폐 사건'이 언론에서 수그러들지 않아, 좀 더 속전속결로 문제를 해결해 현실적으로 지친 심신이 모두 쉴 수 있게 하고 싶었다. 결국 지속적으로 인사혁신처를 찾았고 절차를 밟아 어렵다는 국장과 면담이 이루어졌고 더 가속도를 붙여 인사혁신처장까지 면담을 요청 했다. 그러나 담당자들은 씨알도 안 먹힌다는 듯 나를 이상한 사람으로 쳐다보면서도 안타깝게 바라보았다. 그렇지만 내 입장에서 그런 정도는 아무런 문제가 되지 않았다. 왜냐면 정직한 신념과 몰입의 노력이 있었기 때문이다. 마침내 몰입은 현실이 되어 인사혁신처장 면담을 이뤄냈고 마지막 힘까지 다 쏟아 부어 열정적인 브리핑을 성공적으로 마칠 수 있었다.

브리핑 이후 상대를 보면 사람은 숨길 수 없는 미간과 입의 잔 근육들이 이미 답을 하고 있다는 것을 알 수 있었다. 그 당시 전 국민이 해수부에 대한 배신감으로 또다시 치달을 때 나 역시 그런 논리로 기울어진 생각을 했다면, 해수부장관, 목포 신항 현장 고위직 등 치명적인 타격을 입지 않는다는 보장은 없었을 것이다. 문재인 대통령 또한 '사실과 진실'의 정의를 모른 채 안타깝게 생각하고 있었을 것이고, 온 국민들도 해수부가 뼈를 은폐했다고 생각했을 것이다.

나는 지금 이순간도 내가 결단한 일이라서 다 옳고 잘했다고 생각하는 것은 아니다. 세월호는 우리 사회에 만연한 불신과 공정이 깨진 사회재난이고 회복할 길이 없는 국가적, 사회적으로 매우 위험한 참사였기에, '사실과 진실'을 향한 고독한 외침과 투쟁에 나는 가만히 있지 않고 무모한 용기를 내어 홀로 실행에 옮겼을 뿐인 것이다.

한참 지나서 '해수부 뼈 은폐 사건'으로 인한 결판은 당시 이철조 단장 감봉 2개월, 김현태 부단장 감봉 1개월로 마무리 되었다는 내용을 들었고, 미수습자가족들에게 위의 사실을 모두 전했다.

말의 사실

'해수부 뼈 은폐 사건'으로 기진맥진한 상태인데 전화벨이 울렸다. 미수습자 교사가족은 격분한 상태로 ○○○ 교사가 대전국립현충원에 안장이 안 된다고 했다. 이유는 시신이나 유해가 없어 안장할 수 없다는 국가보훈처의 입장이란 것이다. 교사가족은 이런 일이 어디 있냐고 내게 따지듯 말하면서 미수습자가족 대변인이니까 이 문제를 해결해 달라는 것이다. 나야말로 날벼락이다.

나는 너무 지쳐 말할 기력도 없었지만 해수부 가족지원 담당자와 의논해 보고 국가보훈처도 구체적으로 더 알아볼 필요성이 있다고 했다. 왜냐면 국가의 법에 걸린 초유의 사안이란 점을 감지했기 때문이다.

다음날 나는 해수부에 전화해 지금 '뼈 은폐 사건'을 해결하는 것도 힘드니까 무슨 방법이나 대안을 찾아봐 달라는 부탁을 했지만 속수무책이라고 했다. 그러나 그 교사가족은 국가법도 안 된다는 것을, 아무리 대변인이어도 개인 봉사자일 뿐인데 재촉하는 연락을 강요했다. 사실 국가법만 아니면 개인적으로 안타까운 심정은 충분히 이해가고도 남았지만 나 또한 그땐 몇 번이나 죽고 싶은 생각을 할 정도로 온몸이 타들어 갔다.

그렇게 내 한 몸도 죽을 것 같은데 계속 연락이 왔다. 정말 핸드폰조차 없는 세상에서 숨이라도 쉬고 싶은 혹독한 시련이었다. 세월호 총 봉사 기간 중 가장 절체절명의 시점이었다.

어느 날 교사가족은 국무총리에게 전화해 대전국립현충원에 안장시켜 주지 않으면 가만히 있지 않겠다고 했다는 것이다. 당시 미수습자가족들은 중대한 일이 있을 땐 간혹 정관계 부처와 직통 핸드폰으로 이런저런 사안을 갖고 통화하는 것을 옆에서 들을 수밖에 없었다. 그렇다고 누구나 하는 것은 아니었다. 극소수의 미수습자가족들이 그렇게 했다. 나는 아찔했다. 전국민 앞에 4대 종단 '합동추모식'으로 목포 신항을 떠나 장례를 치르고 미수습자가족들의 심신회복과 일상생활로 적응해 나가길 간절한 마음으로 기도하며 온갖 정성을 다했는데, '해수부 뼈 은폐 사건'도 모자라 이젠 문재인 대통령도 국가보훈처도 국토교통부, 해수부도 해결할 수 없다는 것을 가지고 내게 끝도 없이 요구하는 것이다. 나는 이런 일이 얼마나 더 지나야 이 불지옥을 끝낼 수 있을까? 하는 생각이 들었다.

그러나 세월호 진상규명이 안 되고 오랫동안 진도실내체육관, 팽목항, 목포 신항에서 자식과 가족을 찾고자 기다린 미수습자가족들과 관련해선 좀 더 실질적인 의사자의 세부규정이 마련되어야 한다고 생각한다. 또한 시신 및 유해 한 점을 찾지 못한 미수습자가족에겐 그에 상응한 현실적인 위로의 방법을 모색해야 한다는 것을 현장에서 절실하게 보고 느꼈다.

안산 단원고 교사가족에게 또 전화가 왔다. 해수부 역시 방법이 전혀 없다면서 힘들어했다. 나 역시 출가 사흘 앞두고 이틀만 자원봉사하고 출가하겠다는 그 마음에 걸리지 않고 그대로 출가 했으면, 아님 봉사만 하고 냉정하게 대변인 요청을 거절했으면 겪지 않았을지도 모를 일이다. 결국 나라는 사람의 온전한 선택과 책임은 또다시 긴 호흡으로 현실을 직시했다.

다음날부터 국가보훈처, 국토교통부, 대전국립현충원장, 해수부 등 각계부처를 문지방 닳도록 방문해 민원을 제기하고 항의도 했다. 그러던 중 대전국립현충원 갔을 때 눈으로 직접 본것이 하나 있었다. 우리나라 대한민국을 지키기 위해 피로써 목숨 걸고 나라를 지킨 호국영령들의 위패가 한쪽 벽면에 다닥다닥 붙어 있었다. 순간 그 호국영령들의 종이위패를 보면서 말을 잃어버리고 깊은 참배로 대신했다. 문득 일부 국민들이 했던 말들이 들려왔다. "세월호로 죽은 사람들이 나라를 구해 죽은 것도 아닌데 무슨 의사자이고 국립현충원이냐?" 나는 그 호국영령들의 종이위패 앞에서 자유로울 수 없었다. 왜냐면 목숨을 바쳐 이 나라를 지킨 호국영령들은 종이위패 낱장으로 대신한 이름조차 말없이 있을 뿐인데…. 나는 호국영령의 이름 앞에서 발가락이라도 닮을 수 있을까? 라는 생각이 들면서 이 나라와 국민들이 평화로운 일상을 살 수 있기 위해 결국 내 몸을 던지기로 했다. 대전국립현충원장님과 면담 시 문재인 대통령이 오셔도 국가법으로 안 되는 사안이라는 말을 들었음에도 이토록 무모한 결단을 내린 나는 무기 하나 없이 맨몸으로 전쟁터로 나가는 이 길을 또다시 선택했다. 시동을 걸었다. 나에겐 정말 미안하다는 말조차 못 하고서 말이다.

먼저 안산부터 올라가 그 교사가족을 만났다. 그러나 지금껏 경험을 비추어 보면 아무리 좋은 뜻으로 출발했어도 과정이나 결론은 내 뜻과 무관한 일들이 벌어졌던 적이 너무 많았기에 각별하게 조심 또 조심해야 했다.

나는 그동안 장거리 운전을 강행하면서 그 교사가족을 아파트 입구에 내려주고 말없이 인근 숙소에 가서 잠깐 잠을 자고 일찍 나선 적이 셀 수 없이 많았다. 그런데 내가 몰입해 생각한 프로젝트는 그 가족 집에 들어가야 대전국립현충원 안장을 성공시킬 수 있는 사안이었다.

나는 그 교사가족에게 ○○○교사가 대전국립현충원에 안장되기 위해선 집에 들어가 살펴봐야 할 일이 있으니 잠깐 시간을 내 주길 정중하게 요청했다. 그 교사가족은 "나라법도 없다는데 뭘 한다고 해." 했지만 내가 해야 할 사명만 집중하기로 했다. 그 교사가족은 내게 "뭘 할진 몰라도 어차피 시신도 없는 것을 어디 가서 찾아올 수도 없으니까 대통령이 해주던지 국무총리가 해주던지 어쨌든 정부가 책임져야지. 왜 금비단장이 이런 애를 써." 라고 했다. 나는 애초 그럴 거면 왜 내게 전화해서 미수습자가족 대변인으로 끝까지 역할을 해야 한다고 그토록 고통을 주었는가? 라는 생각이 스쳤지만, 묵묵히 프로젝트를 성공시킬 일에만 몰입하는 것만이 나의 정직한 말의 사실이고 진실이라고 생각했다.

교사가족은 얼마 전 모친이 오셔서 다음날 경로당 가시고 없는 아침 시간에 다시 오라고 했다. 나는 도리 없이 안산에서 서울로 운전해 일반인 미수습자가족을 만나 안부를 묻고 인근 숙소에서 잠잔 후 다음날 다시 교사가족 아파트에 도착했다.

나는 교사가족과 통화를 마치고 집으로 들어갈 수 있었다. 교사가족은 내게 "남편 집 떠난 지 4년이 다 되는데 뭘 하겠다는 건지" 라고 하면서 괜한 일을 한다는 듯한 눈빛이었다.

그러나 이 프로젝트를 마칠 때까진 죽고 싶은 마음조차 비워야 했다. 나는 ○○○ 교사가 편안하게 영면하길 바라는 그 마음으로 비웠다. 거실에서 안방으로 들어가기 직전 그 교사가족에게 말했다. 기운 없다고 했으니 식탁 의자에 앉아 내가 뭘 하는지 지켜만 보고 계서 달라고 당부 했다. 왜냐면 행여 기운 없다는 사람 집에 들어와 까딱 넘어지거나 사고라도 생기면 어떤 사태가 발생될 지 누구도 장담할 수 없기에 식탁 앞 의자에 앉으라고 재차 권했다. 그제서야 겨우 자리 잡고 앉는 것을 보았다.

나는 재빠르게 안방에 들어가 침대 위 이불을 한쪽에 놓고 침대를 번쩍 들어 올려 벽에 기대 놓고 지퍼백을 열고 방바닥에 떨어진 체모를 오른쪽 손바닥을 사용해 모았다. 엄청 많은 먼지로 수북했다. 그래서 왼손으론 체모를 분리시켜 지퍼백에 넣었다. 그 중 눈에 들어온 것이 두 개 정도가 있었다. 순간 나는 그 교사 가족에게 조금 격앙된 목소리로 "찾았어요. 찾았어! 두 개는 분명 확실한 것 같아요." 라고 했다. 그때 나는 분명 전문가는 아니지만 왠지 교사의 것으로 확신이 들어 외쳤던 것이다. 이후 벽에 세워져 있는 침대 바닥면을 앞뒤로 번갈아 가면서 체모를 채취해 다른 지퍼백에 모았다. 그 순간 나의 역사적인 몰입의 1차 프로젝트는 끝이 났고 호흡을 깊이 했다.

서둘러 침대를 원상복구 해 놓고 교사가족에게 강원도 국과수를 가야 하니 외출 준비를 해 달라고 권했다. 그러나 교사가족은 "기운도 없는 내가 왜 강원도까지 가냐?"고 짜증을 냈다. 그러나 한시가 급한 나는 몸이 먼저 말을 하느라 현관문 앞으로 급히 뛰어가면서 "국과수 가서 DNA 검사 요청해야 해요."라고 했다. 그랬더니 "국과수는 뭔 국과수야." 라고 하면서 좀처럼 준비하지 않았다.

사실 교사가족은 지난 3년 6개월 동안 많은 과정을 통해 강원도 하면 국과수이고 국과수 하면 DNA 검사라는 것 정도는 말을 따로 설명 안 해도 너무 잘 알고 있는 사람이었다. 그럼에도 그날은 모두가 처음인 것처럼 듣고 말했다. 나는 온갖 마음이 순간 일어났지만 있는 그대로 바라보는 것을 수행 삼아 함께 내려와 차를 타고 시동을 걸었다. 지금도 그 순간을 잊지 못한다. 곧 끝낼 수 있기 때문이었다.

황급히 핸드폰 네비게이션에 국과수를 목적지로 정하고 그 교사가족을 조수석에 태워 출발했다. 나는 해수부 세월호 현장 수습 김민종 단장님에게 전화했다. ○○○ 교사의 체모로 추정되는 것을 갖고 강원도 국과수로 가고 있다는 사실을 말씀드리자 김민종 단장님은 놀라움을 금치 못했다. 국가법이 없어 대전 국립현충원 안장이 안 된다는 것을 너무나 잘 알고 속수무책으로 애만 태운 해수부의 심정을 어느 정도 아는지라 가늠된 상황이었다. 특히 이번 프로젝트를 나 혼자 기획하면서 아무에게도 말하지 않고 직접 실행한 일들이기에, 김민종 단장님의 반응을 충분히 이해하고도 남았다.

나는 거꾸로 해수부에 순차별 긴급 사안을 협조 요청했다. 먼저 당일 날짜가 년말 근무 마지막 날짜로 12월 29일(금)인데, 강원도 도착시간을 최대한 앞당겨 오후 2시경이라 해도 조기 퇴근이나 연차 등의 이유로 담당자 상황이 어떨지 몰라 그 부분의 확인과 점검을 부탁드렸다. 이후엔 국과수 출입에 문제가 발생되지 않도록 미리 목포 해경에 연락해 긴급 사안으로 처리해 달라고 부탁을 드리려 했는데 이심전심으로 진행되었다. 왜냐면 그동안 목포 신항에선 국방부 유해감식단이 있었고 담당 목포 해경, 해수부, 전남도청 등 각 분야별로 그 부처나 기관을 대표해 담당자들이 모두 출장 나와 있었기 때문에 보안구역이지만 거의 한 곳의 시스템으로 돌아가는 현장 상황이었다. 그러나 지금은 그런 상황이 아닌 특별상황에 해수부나 해경 담당자도 아닌 미수습자가족 대변인의 자격으로 국과수를 출입하는 것은 미수습자가족이 동행해도 어렵없었다. 그렇게 순간적으로 복잡한 절차를 면밀하고 민첩한 대응으로 함께 마음을 졸이면서 진심을 다해 협조한 해수부 김민종 단장님께 감사하다는 생각을 했을 때 국과수에 도착했다. 법적으로 해경 담당자가 동행을 한 상태에서 국과수 출입이 가능했었기에, 김민종 단장님이 목포 해경의 협조를 요청해 강원도 인근 해경 담당자가 미리 도착해 대기하고 있었던 덕분에 국과수 담당자와 면담할 수 있었다.

국과수 DNA 담당자 두 분이 들어왔다. 누구나 첫 인상 3초 3분의 이미지가 있듯 중요한 순간엔 돌이킬 수 없는 역할을 하게 되는 사람이 있다. 그 중 한 분을 집중하기로 했다. 나는 지퍼백 두 팩을 전하면서 2018년 1월 16일이 대전국립현충원 안

장식인데 경기도교육청에서 장례를 주관해 행정적인 처리 등을 하려면 늦어도 1월 5일엔 국과수 검사가 나와야 하는데…, 라고 했다. 역시나 다른 한 분은 두 달 후에 결과가 나올 예정이라고 딱 잘라 말했다. 그러나 나는 충분히 예상한 답변에 놀라지 않고 내가 처음 집중해 본 그 담당자를 바라보았다. 왜냐면 그 담당자들 입장에선 직장업무 중 특별한 민원이긴 하지만 한 사람이 해결할 일도 아니고, 몇 사람이 붙어서 결과가 나올 수 있는 작업 구조일 거란 생각에, 그분들이 없던 마음을 끌어올리기 위해선 그에 상응한 스토리가 가장 중요하다는 생각을 했다. 그래서 정말 미수습자가족 대변인으로서 후회 한 점 없고 미련 하나 없이 죽을힘 다해 간절하게 말씀드렸다. 그렇게 내가 처음 바라본 그분의 눈을 보았을 땐 확답은 못 들었지만 답이 보였다. 나는 국과수 주차장으로 걸어 나올 때 그 담당자의 눈이 떠올라 울컥 가슴에 젖었다. 그 담당자의 눈엔 간절한 내 눈이 들어있음을 보았기 때문이다.

새해 신년식으로 바쁜 중 나는 인사혁신처와 국토교통부를 방문해 민원 제기한 '해수부 뼈 은폐 사건'과 '국과수 DNA 검사 결과'를 점검 상담 및 재 민원신청을 하고, 해수부엔 무조건 1월 5일 5시까진 국과수 검사 결과가 나와야 한다고 못을 박았다. 그렇게 새로 부임한 김재철 부단장에겐 국가법으로도 안 되고 대통령도 해결할 수 없다는 것을 미수습자가족 대변인이 정답 문제지를 국과수에 제출했으니 국과수 검사 결과 날짜를 꼭 맞춰야 한다고 명확히 선전포고 했다. 드디어 1월 5일 인사혁신처 담당자들과 면담이 늦어져 국토교통부엔 가지도 못한 채 해수부로 건너뛰었다. 왜냐면 해수부 약속이 본래 오후 3시였는데 오후 4시가 넘었던 상황이라 해수부에 양해를 구하고 부랴부랴 해수부 출입을 했다. 나는 너무 긴장이 되었지만 분명 ○○○ 교사의 체모라고 추정된 것이 최소 2개 이상이 넘었기에 확신을 갖고 있었다.

그래도 끝날 때까지 끝난 게 아니다. 1월 5일 오후 5시를 코앞에 두고 뚜벅뚜벅 해수부 복도를 걸어갔다. 마침 사무실 문앞에 거의 도착한 순간 김재철 부단장이 나왔다. 그런데 한 번도 본 적 없는 얼굴을 봤다. 입가엔 어색한 미소가 나왔다. 그리고 몇 발짝 걸어가는 나와 마주할 땐 점점 환해지는 양 볼이 두툼해졌다. 김재철 부단장이 먼저 내게 말한다. "단장님은 어떻게 그럴 수가 있어요? 국가법으로도 해결할 수 없는 그런 큰 문제들을 어떻게 해결할 수 있어요? 누구도 생각 못하는 것을 매번요?" 김재철 부단장은 내가 질문할 틈을 내주지 않았다. 그 사이 다른 해수부 직원 몇 분이 나와 모두 밝게 웃고 박수를 친다. 세월호 역사상 처음 본 모습이다. 아니 목소리조차 죄인이고 웃기라도 하면 큰일인 것처럼 선고당한 죄수로 항상 긴장하고 눈치 보며 마음 고생해 근무했던 것을 오랜 시간 보았었기에. 나는 뒤늦게 "결과 나왔어요? 무조건 오늘 5시까지 나와야 한다고 했는데 지금이 5시인데요." 라고 했다.

김채철 부단장은 "저희도 방금 연락 받았어요. 단장님이 맞았어요. 금비단장님이 결국 해결했어요. ○○○ 교사가 맞대요. DNA 검사 결과 나왔어요." 라고 하는 순간 우리들은, 그 자리에서 아이들 마냥 천진난만하게 서로 양손을 맞대어 하이파이브를 했다. 세월호 총 봉사 중 결코 잊을 수 없는 감동적인 순간이었다. 그렇게 나는 해수부를 망연히 걸어 나왔다. 너무 고통스러워 셀 수 없는 피눈물이⋯. 나는 교사가족의 문제를 해결하기까지 모든 것이 공포와 위협으로 가득한 날들이었다.

만약에 교사 체모를 수거해 강원도 국과수로 달려가 DNA 검사 결과를 요청 후, ○○○ 교사의 체모를 증명해 내지 못했다면 과연 대통령, 국가보훈처, 해수부 등과 ○○○ 교사는 어떻게 되었을지? 또한 그 교사가족은 대통령과 정부부처들에게 어떻게 했을지 말이다.

세월호로 출가한 국민 한 사람으로서 몰입을 통한 간절한 기도로만 그 답을 찾아 끝을 본 순간, 나라를 지키려 목숨을 내놓은 호국영령들의 종이위패가 떠올라 송구함으로 마음속 깊은 참배를 먼저 했다.

지정기탁

미수습자가족에게 전화가 왔다. "너무 힘들다. 어떻게든 살아보려고 하는데 모든 것이 고통스럽다. 이 문제를 해결해 주지 않을 경우엔 목포 신항을 다시 내려가는 것은 물론 언론플레이도 불사하겠다."고 했다. 순간 겨우 연명 아닌 연명을 하고 있던 나는 온몸이 또다시 부서졌다. "미수습자가족 대변인이니까 이를 해결해 달라."는 것이었다.

나는 가도 가도 끝이 없는 무지막지한 사건들로 말조차 무서웠다. 나는 해수부에 전화했다. 해수부 역시 어떤 방법을 세우기가 어렵다는 것이다. 왜냐면 이미 국가에서 정한 법의 형식대로 보상 등을 다 마친 상태이고 장례까지 다 치른 마당에, 개인적으로 안타까운 사정은 이해하지만 해 줄 수 있는 방도가 없다는 것이다. 그렇다. 민주주의 법치국가인 대한민국은 법을 벗어나선 한 발자국도 할 수 있는 게 없는 현실인 것이다.

세월호 304명 희생자 중 한 가족이 사망했다고 해도 결코 과언이 아닐 만큼 가족 총 4명 중 1명은 다행히 구조되어 생존하고, 1명은 시신으로 돌아오고, 2명은 미수습자로 남은, 세월호 침몰로 인해 우리나라에서 가장 많은 희생자를 둔 가족이기도 하다는 점이다. 당시 유일하게 구조된 권○○ 어린이의 법적 보호자는 고모로 정해졌다. 그러나 구조된 어린이가 미성년자인 관계로 법적보호자(고모)는 대한민국의 법적 과정을 거쳐 어린이가 성인이 된 00세가 되면 00%, 그 이후 00세가 되면 00%의 보상금을 국가에 위탁해 놓고 수령하는 것으로 이야기를 직접 들었다. 이 또한 장례식 이후 한참 지나 알게 된 내용이었다. 결국 민원을 제기한 그 가족은 자신에게 보상금이 없다는 것을 인지했어도, 남동생과 조카의 시신이라도 찾아 장례를 치른다는 마음으로 혼자서 목포 신항 현장까지 최장기간을 기다렸던 것이다.

또다시 밤낮 없는 전화로 괴로웠다. 나는 강력하게 해수부가 해결하라고 했다. 그러나 해수부 역시 하소연만 하고, 그 가족은 목포 신항에 다시 내려간다는 말만 계속 되풀이 했다. 나는 정말 악 소리도 안 나왔다. 그분은 4년이 되도록 가족을 찾겠다고 현장에 있었던 가족에게 정부가 그 어떤 위로도 해주지 않았다는 것이 억울하다는 것이다. 애초 세월호로 출가한 나의 인연으로 인한 인과(因果)라는 것밖엔 그 어떤 말로도 대신할 수 없었던 것이다.

어느 날 해수부는 내게 말했다. "그동안 미수습자가족들에게 큰일이 있을 때마다 금비단장님은 누구도 생각하지 못한 어마어마한 일들을 지혜롭게 대안을 마련해 해결을 했는데, 그 미수습자가족이 목포 신항에 내려오면 달리 막을 수 있는 방도는 없지만 그에 따른 총체적인 국민들의 여론과 언론들 그리고 다른 미수습자가족들이 어떻게 움직일지에 대해선 긍정적이지 않을 거 같다."라고 했다. 나 역시 같은 생각이다. 더 솔직하게 표현하면 대한불교조계종 총무원장(설정)님의 고견을 듣기 위해 총무원장 접견실에서 미수습가족 대표와 대변인이 참석해 면담을 했다. 그토록 힘겨웠던 아들과 가족들의 장례를 받아들이고 준비할 수 있도록 마음을 다 잡을 수 있었던 결정적인 말씀들이 있었다. 그리고 11월 16일 기자회견과 2017년 11월 17일 대한불교조계종 총무원장(설정)님의 목포 신항 위로 방문에 이어 2017년 11월 18일 4대 종단 합동추모식을 거쳐 장례까지 마쳤는데 또 다시 목포 신항 현장에 미수습자 한 가족만 내려온다는 것이었다.

나는 그 어떤 생각도 하고 싶지 않았다. 왜냐면 국가법과 대통령 그리고 정부부처도 해결할 수 없는 문제 자체를, 어떤 조직이 있는 것도 아니고, 그렇다고 무슨 후원금으로 유지한 단체도 아닌 개인 혼자 무려 4년을 혼자 책임진 봉사자에게 이토록 혹독한 요구를 하는 미수습자가족에 말을 잃었다. 그렇게 나와 해수부 그리고 그 미수습자가족 세 팀은 계속 각자의 말들만 할 뿐 도대체 '멈추지 않는 세월호 시간' 은 계속 잇고 또 잇고 있었다.

결국 세월호로 출가한 나는 어느 날 해수부로 들어갔다. 왜냐면 분명 전조증상이 있을 거란 생각이 들었다. 그 미수습자가족이 목포 신항을 떠날 땐 정말 진심이 담긴 눈빛과 목소리로 내게 "대변인 아니었음 절대 서울로 올라가지 않는데, 그동안 대변인이 어떤 고생과 헌신을 했는지 누구보다 잘 알고 오래 봤기 때문에 어렵게 결심한 것"이라고 직접 말씀을 했기 때문이다. 나 역시 그런 진심이 그대로 느껴졌고 그렇게 잠시 서로 눈시울이 붉었던 것이었다. 그럼에도 막상 4년 동안 집을 비우고 처자식이 있는 서울 집을 올라가니 무엇인지 모르지만 생각이 달라졌을 거란 추측이 들었다. 나는 해수부가 어떤 생각과 대안이 있는지 먼저 들어보기로 했다. 그러나 해수부 역시 난감한 모습이 역력했고 안타까워 했지만 현실적인 대안을 내놓을 수 없다는 양해를 구했다. 다만 말 뿐이 아닌 목포 신항 현장으로 충분히 내려가고도 남을 가족분 이란 것에 대해 해수부와 나는 동의를 할 수 밖에 없었다.

해수부를 걸어나가는 길은 섬이었다. 그렇게 섬 속에서 몰입을 통해 길을 걷다가 이 사태를 해결할 수 있는 한 생각이 떠올랐다.

나는 이 문제를 해결해 기필코 '세월호 미수습자가족 설국열차'가 다닐 수 있는 레일조차 다 삭아져 흔적도 없이, 그 길엔 재난현장의 아픔을 딛고 일어선 예쁜 꽃들이 피어나 일상생활에 적응해 살아가는 '품격 있는 미수습자가족'이길 바라는 간절한 마음 뿐이었다.

사실 세월호 봉사하기 전까지 금비예술단 단장으로서 매년 금비예술단 정기공연을 통해 공연은 물론 금비장학생을 선발해 장학금을 지급하고 소외계층에겐 소정의 후원금이나 생필품을 기관장을 통해 전달했었다. 그러나 지금 금비예술단 정기공연을 할 상황은 전혀 아님에도 나 역시 한 번도 적용한 적 없는 그런 방법밖엔 없다.는 생각이 들었다. 그러나 가장 중요한 것은 제 아무리 선의를 가진 행위이더라도 법을 위반하거나 윤리적인 문제가 있으면 절대 안 된다것과 법에 위해가 되지 않으면서 누구도 다치지 않고 문제를 해결해야 한다는 것이 명제라고 했다.

그동안 금비예술단 정기공연은 매회 공식적인 예산, 후원을 받아서 한 것이 아니고 단장이 총괄 책임지고 정기공연을 했다.

나는 금비예술단(법인) 계좌를 만들어 지인 찾기 등등 십시일반으로 후원금을 모으기로 했다. 그 후원금이 모아지면 단장인 내가 후원금 전액을 다른 기관을 통해, 후원하고 싶은 이름을 지정할 수 있고 기부자는 익명으로 기탁 할 수 있는 '지정기탁' 방법을 구체적으로 기획했다.

나는 '뼈 은폐 사건' 해결하랴, 'ㅇㅇㅇ 교사 대전국립현충원 안장' 해결하랴, 이젠 '세월호 미수습자가족 제2의 재난피해자 일상생활 회복'을 위한 금비예술단 정기공연까지 자처한 상황이 되고 만 것이다. 당장 정기공연을 올리려면 장소 선정이 가장 큰 문제였고 그 많은 돈을 어떻게 해결해 나가야 할지, 감당이 안 되었지만 세월호로 출가한 나의 인연에 대한 '마지막 지문'이라는 생각에 결단했다.

금비예술단 정기공연은 '단재 신채호 국혼위령제'로 막을 올렸다. 문화예술 공연으로 '단재 신채호 국혼위령제'는 금비예술단이 대전에서 처음 올리는 것으로 추측했다. 나는 이 공연을 올린 연유는 단재 신채호 선생께서 대전이 출생지임에도 불구하고, 그에 관련된 예술 공연이 조명되지 못함을 진작 알고 있어 이왕 어려운 시점에 정기공연 하는 것이니 만큼 좀 더 뜻 깊은 무대가 되길 희망했다. 정말 이 자리를 대신해 말없이 함께해 준 단원들과 게스트에게 고맙다는 마음을 꼭 전하고 싶다. 그리고 당시 금비예술단 정기공연 '단재 신채호 국혼위령제'에 소요된 총 경비는 누구의 후원금 없이 단장인 내가 다 책임졌다.

다만 금비예술단(법인) 계좌로 들어 온 후원금은 전액 세월호 미수습자가족에게 익명으로 기부할 기관을 찾았다. 그런데 몇몇 기관을 찾아 본 바 기부는 얼마든지 받는데 지정기탁의 제도는 없다는 것이다. 기부금은 받아도 누구에게 아님 어떤 단체에게 후원하는 것, 즉 기부하는 사람의 뜻이 반영되지 않는다는 것이다. 대한불교조계종 '아름다운 동행'을 알아보았다. 불행 중 다행으로 후원하고 싶은 이름을 지정할 수 있고 기부자도 익명으로 가능했다. 즉 지정기탁이 된 사람에게 기관에선 후원금 1% 삭감도 없이 익명으로 전달할 수 있다는 것이다. 나는 투명한 신뢰를 형성하는데 매우 중요한 사안이라고 판단했다. 공연 직전 해수부 담당자는 금비예술단 정기공연을 준비하시느라 여러 가지로 힘들었을 텐데, 아무런 도움도 못 되고 금비단장님이 더 어렵게 되어 정말 면목 없다는 말을 전했다. 나는 대한불교조계종 '아름다운 동행' 계좌로 전액 기부했다.

이후 대한불교조계종 '아름다운 동행'에서 연락이 왔다. 1천만 원 이상 기부자는, 대한불교조계종 총무원장(설정)님에게 직접 전달해야 하는 과정이 있으니 참석을 해 주어야 한다는 취지였다. 사실 개인의 자격이 아니라 금비예술단(법인)에 들어 온 후원금을 지정기탁 했던 것이기에 도리 없이 약속한 날 대한불교조계종 총무원장(설정)님 접견실로 들어갔다. 그 자리엔 1천만 원부터 그 이상 기부한 기부자들로 담당자가 호명하는 순서대로 시스템에 따라 행해졌다. 종단에서 준비한 커다란 피켓엔 '사회재난현장에서 소외된 이웃 지원' 이라고 맨 위에 크게 쓰여 있었고 중간엔 1천만 원 그리고 맨 아래엔 금비예술단장(전연순) 이라고 되어 있었다. 나는 대한불교조계종 총무원장(설정)

님과 '아름다운 동행' 소임자 스님과 함께 피켓을 가슴 앞에 들고 사진 촬영한 것으로 끝으로 세월호 미수습자가족에게 잘 전달 될 수 있도록 마지막 걸음을 마쳤다. 이후 대한불교조계종 '아름다운 동행' 담당자 직원은 내가 지정 기탁한 세월호 미수습자가족 계좌로 잘 전달되었고, 그와 관련된 영수증을 내게 보냈다는 전화내용으로 '아름다운 동행' 담당자와 마지막 통화를 마쳤다.

나는 이 자리를 대신해 정말 쉽지 않은 마음을 내어 십시일반 모아 준 모든 분들에게 진심을 다해 감사와 존경하는 마음을 전하고 싶다. 또한 미수습자가족들을 위해 목포 신항 현장 철수 후에도 끝까지 고심했던 해수부 김재철 부단장님에게 다시 한 번 고마움과 응원의 마음을 전한다.

이로써 미수습자가족이 또다시 목포 신항 현장에 내려간다는 민원을 국가도 아니고 정부를 대신한 해수부도 아닌 '세월호로 출가'한 국민의 한 사람이 몰입과 간절한 기도, 그리고 오직 말 없는 실천만으로 그 답을 찾아 해결했다.

다행히 그 미수습자가족은 연세가 70세인데도 그 어떤 미수습자가족보다 성실하고 부지런하게 살고 계신다.

세월호로 출가했습니다

2024년 4월 16일 초판 1쇄 발행

지은이 전연순
펴낸이 윤영진
편   집 함순례
홍   보 한천규
펴낸곳 도서출판 심지
등록 제 2003-000014호
주소 34570 대전광역시 동구 대전천북로 12
전화 042 635 9942
팩스 042 635 9941
전자우편 simji42@hanmail.net
ⓒ전연순 2024
ISBN 978-89-6627-253-2 03810